W9-BLI-782

FUNDACION ORNITOLOGICA DEL ECUADOR

CECIA

Una Lista Anotada de las Aves del Ecuador Continental

Robert S. Ridgely
Paul J. Greenfield
Mauricio Guerrero G.

An Annoted List of the Birds of Mainland Ecuador

Quito, 1998

Impreso en Ecuador, Editorial Voluntad con tiraje de 5000 ejemplares.
ISBN 9978-40-487-2
Número de Registro de Derecho Autoral: 011887

Diagramación / *Layout:* Paul J. Greenfield, Mauricio Guerrero G.

Digitación / *Data entry*: Mauricio Guerrero G.

Traducción al español de la Introducción: Sandra Loor-Vela

Diseño de la Portada:
Cover Design: Victor R. Vásquez (403-908)
Chris Canaday, Paul J. Greenfield

Preprensa / *Prepress:* Pablo Xavier Vélez I.

Mapa / *Map:* Pablo Almeida, Chris Canaday

Pinturas de aves:
Bird Paintings: Paul J. Greenfield
(*Oroaetus isidori, Semnornis ramphastinus, Neomorphus radiolosus, Elanoides forficatus*)

Esta obra debe citarse así:

Ridgely, R.S., P.J. Greenfield & M. Guerrero G. 1998. Una Lista Anotada de las Aves del Ecuador Continental. Fundación Ornitológica del Ecuador, CECIA. Quito 155pp.

This book should be cited as:

Ridgely, R.S., P.J. Greenfield & M. Guerrero G. 1998. An Annotated List of the Birds of Mainland Ecuador. Fundación Ornitológica del Ecuador, CECIA. Quito 155pp.

CECIA

La Fundación Ornitológica del Ecuador, CECIA es la única organización no gubernamental ecuatoriana dedicada directamente a la conservación e investigación de las aves. Está asociada a BirdLife International, una federación mundial de organizaciones que trabajan para la conservación de las aves. Además, CECIA desarrolla programas de educación ambiental y contribuye al manejo de áreas protegidas, todo con el afán de promover la conservación de la naturaleza en su sentido más amplio. Puedes apoyar las actividades de CECIA convirtiéndote en un socio o colaborando de otras maneras.

(La Tierra 203 y los Shyris, Casilla Postal 17-17-906, Quito, Ecuador)

***The Ornithological Foundation of Ecuador, CECIA** is the only Ecuadorian non-governmental organization dedicated directly to bird conservation and research, and is also the Ecuadorian partner of BirdLife International, which is a world-wide federation of bird conservation organizations. CECIA also has environmental education programs and contributes to protected-area management, all in the interest of promoting nature conservation in its broadest sense. Memberships are available and all other forms of support are gratefully accepted.*

(203 La Tierra St., P.O. Box 17-17-906, Quito, Ecuador, South America).

Esta lista de distribución constituye un avance del libro de Ridgely y Greenfield, **"Aves de Ecuador"**, y emplea la sistemática y nomenclatura básicas que serán utilizadas en ese trabajo.

*This distributional checklist is intended as a precursor to Ridgely and Greenfield's **"The Birds of Ecuador"**, and employs the basic systematics and nomenclature that will be used in that work.*

CECIA es Partner de
CECIA is Partner of

Prólogo

La Fundación Ornitológica del Ecuador, CECIA, desde su creación en 1986 ha orientado sus esfuerzos a trabajar a favor de la conservación de las aves y sus hábitats en el Ecuador. Este trabajo se ha visto reflejado en numerosas actividades realizadas a lo largo de estos últimos doce años. Los objetivos de CECIA, encaminados a la conservación, investigación y manejo de las aves y sus hábitats en el país, se han traducido en acciones concretas de difusión y educación ambiental, investigación básica y aplicada, publicaciones que han aumentado el conocimiento sobre la riqueza ornitológica del país, promoción y creación de leyes especiales para especies de aves en peligro y el establecimiento de mecanismos de cooperación entre instituciones nacionales e internacionales a favor de la conservación de las aves.

En estos años de trabajo, el CECIA ha generado innumerables resultados; ha fortalecido e incrementado el interés de numerosas instituciones e individuos, dentro y fuera del país, en las aves y ha logrado una mayor conciencia y conocimiento sobre la rica avifauna ecuatoriana. Para su trabajo, el CECIA cuenta con el apoyo de ornitólogos nacionales y extranjeros de reconocido prestigio y de diferentes instituciones de conservación y desarrollo.

Siendo el Ecuador uno de los países con mayor biodiversidad en el mundo, no es de sorprender que una muestra de esa gran diversidad se vea reflejada en las aves. Desde la publicación en 1990 de la "Lista de Aves del Ecuador", 179 especies adicionales han sido reportadas para el Ecuador continental. La nueva publicación que aquí se presenta "Una Lista Anotada de las Aves del Ecuador Continental" es una muestra de la diversidad que posee el Ecuador y de su importancia a nivel mundial.

La Fundación Ornitológica del Ecuador, CECIA, a través de su Directorio quiere dejar constancia de su agradecimiento a Robert S. Ridgely y Paul Greenfield, estrechos colaboradores de nuestra organización, por permitirnos publicar un avance de los datos contenidos en el libro "Aves del Ecuador", cuyos réditos estarán encaminados a reforzar la gestión de conservación de las aves en el país; a Mauricio Guerrero G. quien dedicó su tiempo a la preparación, diseño y revisión de la lista; a Sandra Loor-Vela y María Belén Ribadeneira por su ayuda en la edición final y en la publicación; a BirdLife International por permitirnos hacer uso de sus recursos y el tiempo de su personal, y a Chris Canaday por su colaboración en el diseño de parte de la portada.

Adicionalmente, agradecemos a la Agencia Sueca de Cooperación para el Desarrollo Internacional (Swedish International Development Cooperation Agency, SIDA) quienes, gracias a las gestiones realizadas por la Oficina Regional de las Américas de BirdLife International, financiaron parte de la publicación, y a la Dra. Jane A. Lyons de Pérez y Vinicio Pérez quienes personalmente aportaron otra donación.

Esperamos que la Lista Anotada de las Aves del Ecuador Continental sea un recurso valioso que contribuya a fortalecer la conservación de las aves y sus hábitats en el Ecuador y promueva la protección y manejo de nuevas áreas para su conservación.

Cecilia Pacheco Sempértegui
Presidenta
CECIA

Prologue

The Ornithological Foundation of Ecuador, CECIA has worked on behalf of the conservation of birds and their habitats in Ecuador since its creation in 1986. During the last twelve years, CECIA has carried out several activities aimed at conservation, research, and management of birds and their habitats in the country. CECIA's activities include: information dissemination and environmental education, basic and applied research, publication of books and bulletins to increase the knowledge of the ornithological richness of our country, advocacy and design of special laws to protect threatened bird species, and building mechanisms of cooperation between national and international institutions involved in bird protection.

Over the years, CECIA has achieved many results, has fostered and increased interest in birds among individuals and institutions both inside and outside the country, and has heightened awareness and has helped increase our knowledge of Ecuadorian avifauna. To carry out its work CECIA has the support of notable national and foreign ornithologists and of important conservation and development institutions.

Because Ecuador is one of the richest countries in the world with regard to biodiversity, it is not surprising that its avifauna is notably diverse. Since the publication in 1990 of the "Lista de Aves del Ecuador" (List of Birds of Ecuador), 179 additional species have been recorded in mainland Ecuador. This new publication, "An Annotated List of Birds of Mainland Ecuador" shows the great diversity of the birds of Ecuador and its global importance.

The Fundación Ornitológica del Ecuador, CECIA, through its Board of Directors, thanks Robert S. Ridgely and Paul J. Greenfield, close collaborators to the organization, for letting us publish data belonging to "Birds of Ecuador" (in prep.). Profits from the sale of this list will be used to strengthen bird conservation activities throughout the country. We would also like to thank Mauricio Guerrero G., who dedicated his time to help prepare, design and review the list; to Sandra Loor-Vela and María Belén Ribadeneira for her support in the final edition and the publication of the list; to BirdLife International for letting us use their resources and staff; and to Chris Canaday who collaborate in the designing of the book's cover.

Additionally, we thank the Swedish International Development Cooperation Agency, SIDA which through the Americas Regional Office of BirdLife granted funds for the publication, and to Dr. Jane A. Lyons de Pérez and Vinicio Pérez, who donated additional funds.

We hope that "An Annotated List of the Birds of Mainland Ecuador" will be a useful tool that will contribute to strengthen the conservation of birds and their habitats in Ecuador and promote protection and management of new areas for conservation.

Cecilia Pacheco Sempértegui
President
CECIA

CONTENIDO / CONTENTS

Agradecimientos

Numerosos ornitólogos y observadores de aves, tanto ecuatorianos como extranjeros, han estado contribuyendo durante las décadas pasadas a nuestro creciente y más refinado conocimiento sobre la distribución y abundancia de las aves en Ecuador. Intentaremos reconocer nuestra deuda con todos ellos en el libro, próximo en aparecer, «Birds of Ecuador». Sin embargo, estaremos siempre agradecidos especialmente con las siguientes personas quienes han hecho esfuerzos extraordinarios por compartir su información sobre distribución con nosotros: Bob Behrstock, Brinley Best, Bonnie Bochan, Christopher Canaday, Juan Manuel Carrión, Paul Coopmans, Peter English, Steve Howell, Niels Krabbe, Mitch Lysinger, Juan Carlo Matheus, John Moore, Jonas Nilsson, Carsten Rahbek, Mark Robbins, Gary Rosenberg, Francisco Sornoza, Paul Toyne, Bret Whitney, Rob Williams y David Wolf.

La selección de los nombres de las aves en inglés, pese a que inevitablemente será controversial en ciertos casos (cuando la selección tuvo que hacerse entre dos opciones buenas, o en pocos casos, en que un nombre completamente nuevo se ha presentado), ha sido relativamente simple y directa comparada con el desarrollo y selección de los nombres comunes en español. Esta tarea poco grata recayó principalmente en Paul J. Greenfield, quien desea agradecer especialmente a las siguientes personas por su consejo a lo largo de estos años: Nancy Hilgert, Juan Carlo Matheus, Fernando Ortiz-Crespo (con quien se desarrolló hace unos años la lista base original), y en especial a Martha e Ilán Greenfield.

También queremos agradecer al Center for Conservation Biology de la Universidad de Stanford, por permitir que Mauricio Guerrero destine parte de su tiempo a la preparación, diseño y revisión de la lista. De igual manera Mireya y Mario Guerrero colaboraron en la corrección tipográfica de algunas secciones del manuscrito.

Acknowledgements

Numerous ornithologists and birders, both Ecuadorian and non-residents, have over the past several decades been contributing to our growing and ever more refined knowledge of Ecuadorian bird distribution and abundance. We will attempt to acknowledge our debt to them all in the upcoming «Birds of Ecuador». We will always remain, however, especially grateful to the following individuals for having gone out of their way to share distributional information with us: Bob Behrstock, Brinley Best, Bonnie Bochan, Christopher Canaday, Juan Manuel Carrion, Paul Coopmans, Peter English, Steve Howell, Niels Krabbe, Mitch Lysinger, Juan Carlo Matheus, John Moore, Jonas Nilsson, Carsten Rahbek, Mark Robbins, Gary Rosenberg, Francisco Sornoza, Paul Toyne, Bret Whitney, Rob Williams, and David Wolf.

Our selection of English bird names, while inevitably controversial in a very small number of cases (where a selection had to be made from competing choices, or - in very rare instances - an entirely new name introduced), has been relatively simple and straightforward compared to the development and selection of Spanish vernacular names. This unenviable task has fallen primarily on the shoulders of Paul J. Greenfield, who would especially like to thank the following individuals for their advice over the years: Nancy Hilgert, Juan Carlo Matheus, Fernando Ortiz-Crespo (with whom the original base list was developed some years ago), and in particular Martha and Ilán Greenfield.

We would also like to thank the Center for Conservation Biology of Stanford University for allowing Mauricio Guerrero to spend part of his time in the preparation, design, and revision of this list. At the same time, Mireya and Mario Guerrero collaborated in the editing of certain sections of the manuscript.

INTRODUCCIÓN

Sudamérica alberga más de un tercio de todas las especies de aves del mundo; la mayor diversidad de aves de todos los continentes. Este espléndido tesoro natural está quizás mejor representado en la República del Ecuador, pequeño país ubicado en el extremo más occidental del continente, a lo largo de la costa norte del Pacífico.

Dentro de la superficie del Ecuador - que abarca unos 270.000 km^2, apenas el 1,5% del área total de Sudamérica - habita más de la mitad de la avifauna del continente ... ¡más de la sexta parte de todas las especies de aves que existen en nuestro planeta! Este increíble patrimonio puede ser una verdadera sorpresa para ornitólogos, naturalistas y observadores de aves que visitan el país, pudiendo constituirse en un verdadero desafío, incluso para aquellos con vasta experiencia de campo en los neotrópicos. Frente a la expectativa de la largamente esperada guía de campo de las aves del Ecuador, en sus fases finales de preparación, esta lista "anotada" ha sido preparada con el propósito de constituirse en una de las herramientas más actualizada sobre la distribución y taxonomía de la avifauna del Ecuador.

El formato básico que se presenta en la lista, ha sido adaptado del preparado originalmente por Butler (1979), quien ideó el establecimiento del transecto altitudinal, hacia arriba y abajo de ambas vertientes de los Andes.

INTRODUCTION

South America holds the highest avian diversity of any continent on Earth; over one third of all the World's bird species. This spectacular natural treasure is perhaps best represented within the Republic of Ecuador, a tiny country located at the continents most westerly protrusion along its north-pacific coast.

Within Ecuador's boundaries - spanning some 270,000 km ^{2} a mere 1.5% of South America's land area - inhabit over one half of the continents avifauna... more than one sixth *of our planet's bird species! This incredible wealth can be truly mind-boggling to the visiting ornithologist, naturalist and birdwatcher and can prove to be a veritable challenge even to those with the most extensive field experience in the neotropics. With the still long-awaited field guide to Ecuador's birds in its last legs of preparation, this "annotated" check-list has been prepared to serve as the most updated aid to the distribution and taxonomy of Ecuador's birdlife.*

The basic format presented herein has been adapted from that originated by Butler (1979), who devised the altitudinal transect setup - up and down either slope of the Andes. Posteriorly, an additional list was

Posteriormente, otra lista fue producida por Ortiz-Crespo, Greenfield y Matheus (1990), ahora agotada, la cual constituyó un primer paso para proveer los nombres en español para cada especie de ave del Ecuador. Ambas publicaciones documentaron no más de 1.400 especies de aves.

La presente publicación muestra una considerable actualización frente a las dos listas anteriores, y refleja el actual y más completo conocimiento sobre la distribución y abundancia de las aves presentes en el país. Incluimos aquí las 1.579 especies que han sido registradas en el Ecuador "continental" hasta febrero de 1997. Tanto la nomenclatura como la taxonomía utilizadas, siguen la clasificación de Ridgely y Greenfield (The Birds of Ecuador, *en prep.*).

Luego de un cuidadoso análisis, hemos decidido *excluir* por ahora de este trabajo a las Islas Galápagos, ya que, aunque hemos visitado el archipiélago en varias ocasiones, ninguno de nosotros tiene suficiente experiencia sobre el archipiélago para producir una lista anotada de las especies de aves de dicha región, con un alto nivel de precisión.

Cualquier comentario y datos adicionales sobre distribución y registros de especies, por favor diríjalos a los autores c/o CECIA, para una posible inclusión en cualquier edición futura.

---

produced by Ortiz-Crespo, Greenfield, Matheus (1990), now out of print. It included a first pass at providing Spanish names for each Ecuadorian bird species. Both of these publications documented no more than 1,400 bird species.

*The present publication represents a substantial update on both of these previous lists, reflecting the most complete and current knowledge of Ecuadorian bird distribution and abundance. Herein, we list the 1,579 species that have been recorded within the boundries of "continental" Ecuador as of February, 1997. Both the nomenclature and taxonomy used, follow Ridgely and Greenfield (*The Birds of Ecuador*, in prep.).*

After careful consideration, we have chosen to exclude the Galápagos Islands from this work at this time because, though having personally visited the archipelago on numerous occasions, none of us has had extensive enough Galápagos experience to produce an annotated list of that region's bird species of the highest standards.

All comments and any additional distribution and species records should be directed to the authors c/o CECIA for possible inclusion in any

Todos los beneficios de la venta de esta publicación serán donados a la Fundación Ornitológica del Ecuador - CECIA, para utilizarlos en actividades de investigación y conservación de las aves y sus hábitats, en Ecuador.

REGIONES GEOGRÁFICAS

Ecuador está dividido a lo largo de su eje norte-sur en tres amplias regiones geográficas; el "Pacífico" o tierras bajas occidentales, los Andes, y la "Amazonía" o tierras bajas orientales; cada una de las cuales puede a su vez ser subdividida adicionalmente, por lo que hemos decidido organizar esta "*Lista Anotada de Aves del Ecuador Continental*", estableciendo catorce regiones y/o zonas altitudinales ("zonas de vida"), que aunque pueden ser vistas como una sobre-simplificación de la compleja distribución avifaunística del Ecuador, serán de mucha ayuda para poder descifrar la distribución conocida de cada una de las especies en el país; las cuales se definen a continuación:

Tierras bajas occidentales y ladera occidental de los Andes

Océano/Ocean - hacemos referencia a las aguas costeras del Océano Pacífico y principalmente a las aves que se encuentran, sólo o primordialmente, bastante más allá de lo que alcanza la vista desde la costa. La corriente fría de Humboldt recorre hacia el norte y entonces se desvía hacia el occidente (hacia Galápagos), a la altura de la Península de Santa Elena. Aguas cálidas se encuentran al norte de

---

future edition.

All proceeds from the sale of this publication will be donated to CECIA for use in the investigation and conservation of Ecuador's bird species and their habitats.

GEOGRAPHIC REGIONS

*Ecuador is divided along a north-south axis into three broad geographical regions; the "Pacific" or western lowlands, the Andes, and the "Amazonian" or eastern lowlands; each of these can be broken down further and we have chosen to set up this "*Annotated List of the Birds of Mainland Ecuador*" to highlight fourteen regions and/or elevation zones ("life-zones") that - although admittedly to some extent - can be viewed as an oversimplification of Ecuador's complex avian distribution, will prove helpful in decifering each species' known range within the country. These are defined as follows:*

Western lowlands and west slope of the Andes

Ocean/Océano - *refers to the offshore waters of the Pacific Ocean and mainly to birds occurring only or primarily well beyond the sight of land;*

Santa Elena y también en las aguas superficiales del Golfo de Guayaquil. Ocasionalmente, incursiones de aguas cálidas (eventos ENSO; "del Niño") desvían y alteran el flujo normal de la corriente fría de Humboldt.

Costa/Coast - abarca la interfase entre el océano y las tierras bajas de la vertiente del Pacífico, incluyendo una variedad de hábitats que se basan en aguas salinas, tales como las aguas costeras del mismo océano (visibles desde la costa), líneas costeras arenosas y rocosas; lagunas naturales y artificiales; estuarios y manglares. Dentro de esta categoría nos referimos exclusivamente a aquellas especies de aves que habitan principalmente esta región geográfica. No han sido incluidas aquí las especies que generalmente están ligadas a los bosques tropicales húmedos o hábitats tropicales secos que lo rodean, incluso si éstas pueden verse ocasionalmente en la "costa" (e.g., Gavilán Variable / *Buteo polyosoma*, Sinsonte Colilargo / *Mimus longicaudatus*).

Tropical Árido/Arid Tropical - comprende varios hábitats que se encuentran en las regiones más secas de las tierras bajas occidentales del Ecuador, hasta los 600-800 m.; e incluye áreas casi estériles y semi-desérticas, matorral seco, matorral decíduo, regiones arboladas y bosques, así como muchos hábitats modificados por el hombre (áreas "agrícolas" y "asentamientos humanos"). En el sudoccidente (El Oro y Loja) estos hábitats tienden a alcanzar mayores elevaciones, y en cierta medida esto se presenta en algunos valles afectados por la "sombra de lluvia" en el

---

cold water of the Humboldt Current sweeps northward and is then diverted westward (toward Galápagos) by the Santa Elena Peninsula; warm waters are found to the N of Santa Elena and also in the shallow waters of the Gulf of Guayaquil; occasional warm water incursions (ENSO events; "Niños") divert and disrupt the normal cold water flow of the Humboldt Current.

Coast/Costa - *the interface between the ocean and the Pacific lowlands, including a variety of saltwater-based habitats such as coastal waters of the ocean itself (visible from shore), sandy and rocky coastlines, natural and artificial lagoons and estuaries, and mangroves. In this category we refer only to bird species that inhabit this geographic region primarily; species generally tied to bordering humid tropical or arid tropical habitats , even if they can be seen occasionally on the "coast", have not been included here (i.e., Variable Hawk, Long-tailed Mockingbird).*

Arid Tropical/Tropical Arido - *incorporates various habitats occurring in drier regions of the w. Ecuadorian lowlands up to 600-800 m; includes almost barren desert-like areas, arid scrub, and deciduous scrub, woodland, and forest, as well as many man-modified habitats*

noroccidente (Imbabura y el norte de Pichincha).

Tropical Húmedo/Humid Tropical - comprende varios tipos de bosque húmedo en las regiones más lluviosas de las tierras bajas occidentales ecuatorianas hasta los 600-800 m.; en un gradiente que va desde los bosques muy lluviosos ("pluvial") del norte de Esmeraldas hasta los bosques más estacionalmente húmedos ("bosques húmedos") que se encuentra hacia el sur, en el norte de Manabí, sudoccidente de Pichincha, y el norte de Los Ríos, y de allá hacia hábitats más decíduos (cf. tropical árido); bosques relativamente húmedos se extienden incluso más hacia el sur a lo largo de una franja estrecha junto a la base de los Andes (hasta El Oro). La totalidad del área se encuentra bastante modificada por actividades humanas a excepción de las regiones más remotas (ahora principalmente en Esmeraldas).

Estribaciones/Foothills - incluyen las elevaciones de menor altitud junto a la base de los Andes (ca. 600-1200 m.); principalmente una zona húmeda con alta precipitación (mayor hacia el norte) y una cobertura nubosa constante (incluso hacia el sur), que reduce la evapotranspiración y produce condiciones locales de "bosque nublado"; bosques semejantes también se hallan en las laderas más elevadas de la cordillera de la costa desde el occidente de Esmeraldas (e.g., en Jatun Sacha - Bilsa) hacia el sur al occidente del Guayas (que terminan justo al occidente de Guayaquil).

("agricultural" and "settled" areas); in the southwest (El Oro and Loja) these habitats tend to range up to higher elevations, and to some extent this occurs in certain rainshadow valleys in the northwest (Imbabura and northern Pichincha).

Humid Tropical/Tropical Húmedo - *incorporates various humid forest types in wetter regions of the w. Ecuadorian lowlands up to 600-800 m; grading from the very wet ("pluvial") forests of n. Esmeraldas through the more seasonally wet ("humid forests") found south into n. Manabí, sw. Pichincha, and n. Los Ríos, there grading into more deciduous habitats (cf. under arid tropical); relatively humid forests extend even further south in a narrow zone along the base of the Andes (all the way to El Oro); the whole area is much modified by man's activities in all but the most remote regions (now primarily Esmeraldas).*

Foothills/Estribaciones - *lowermost elevations along the base of the Andes (ca. 600-1200 m); mainly a wet zone both from high rainfall (greater northward) and persistent cloud cover (even southward) reducing evapotranspiration rates and causing local "cloud forest" conditions; comparable forests also occur on the higher slopes of the coastal*

Subtropical/Subtropical - comprende las vertientes bajas de los Andes entre aproximadamente los 1000-1200 m y los 2300-2500 m.; originalmente cubiertos de bosque en su mayoría, especialmente hacia el norte, pero ahora modificados por actividades humanas, principalmente hacia el sur.

Temperado/Temperate - constituye las vertientes altas de los Andes, principalmente cubiertas de bosques, entre aproximadamente los 2300-2500 m hasta el límite del crecimiento arbóreo (el cual, dependiendo de la precipitación y la exposición a los vientos predominantes, se encuentra entre los 3100-3500 m.). Cerca y sobre la línea de crecimiento arbóreo (localmente incluso en el páramo; ver más adelante), existen bosques y regiones arboladas de *Polylepis*.

Páramo/Paramo - pastizal natural altoandino, desde el límite del crecimiento arbóreo hasta las laderas rocosas más elevadas y la línea de nieve (encontrándose ésta generalmente alrededor de los 5000 m., dependiendo de la precipitación y exposición).

Interandino/Interandean - comprende una variedad de hábitats que se encuentran prácticamente en valles entre las dos principales cadenas montañosas andinas ("Andes occidentales" y "Andes orientales"), con alturas entre aproximadamente los 2000 y 3000 m. La topografía es particularmente compleja en el sur del Ecuador, la cual originalmente fue arbolada, ahora se encuentra muy

---

cordilleras from w. Esmeraldas (e.g., at Jatun Sacha Bilsa) south into w. Guayas (terminating just west of Guayaquil).

Subtropical/Subtropical - *lower Andean slopes between ca. 1000-1200 m and 2300-2500 m; originally mostly forested, especially northward, but now modified by human activities, especially southward.*

Temperate/Temperado - *upper Andean slopes, mainly covered with forest, between ca. 2300-2500 m up to treeline (which, depending on rainfall and exposure to prevailing winds, occurs between 3100-3500 m); near and above treeline (locally even into paramo; see below) there are stands and groves of Polylepis trees.*

Paramo/Páramo - *high-elevation natural grasslands occurring from treeline up to higher rocky slopes and snowline (which typically is at ca. 5000 m, depending on rainfall and exposure).*

Interandean/Interandino - *incorporates a variety of habitats found in valleys more or less between the two main Andean chains of mountains ("Western Andes" and "Eastern Andes"), at elevations between about 2000 and 3000 m; topography is especially complex in s. Ecuador;*

modificada por actividades humanas (muchas regiones están casi enteramente dedicadas a la agricultura o asentamientos humanos y presentan una erosión extensiva). Algunas laderas aún conservan parches del bosque montano original. La avifauna está constituida básicamente por especies afines a las de las laderas occidentales, incluso en la vertiente occidental de los Andes orientales.

Ladera oriental de los Andes y tierras bajas de la Amazonía

Páramo/Paramo - incluye pastizal altoandino muy similar al de la vertiente occidental de los Andes, aunque la precipitación total anual es mayor y por lo tanto, la línea de la nieve es generalmente más baja.

Temperado/Temperate - comprende las vertientes altas de los Andes, principalmente cubiertas de bosques, entre aproximadamente los 2200-2500 m., hasta el límite del crecimiento arbóreo (el cual, dependiendo de la precipitación y la exposición a los vientos predominantes, se encuentra entre los 3100-3500 m.); en comparación con la vertiente occidental existen pocas zonas con árboles de *Polylepis*.

Subtropical/Subtropical - abarca las vertientes bajas de los Andes, aproximadamente entre los 1000-1200 m., y los 2300-2500 m., originalmente cubiertos de bosque y generalmente menos modificados por actividades humanas que la vertiente occidental (aunque localmente ha habido una deforestación

---

originally mainly wooded, now greatly modified by human activities (many regions almost entirely agricultural or settled; and with extensive erosion); some ridges still have patches of original montane forest; the avifauna is basically of west-slope affinities even on the west slope of the Eastern Andes.

East slope of the Andes and Amazonian lowlands.

Paramo/Páramo - *high-elevation grasslands much as on west slope of Andes, though annual precipitation totals are higher and therefore snowline typically lower.*

Temperate/Temperado - *upper Andean slopes, mainly covered with forest, between ca. 2200-2500 m up to treeline (depending on rainfall and exposure to prevailing winds, between 3100-3500 m); compared to west slope, very little* Polylepis *occurs.*

Subtropical/Subtropical - *lower Andean slopes between ca. 1000-1200 m and 2300-2500 m; mainly forested and generally less impacted by human activities than on west slope (though substantial deforestation has taken place locally).*

substancial).

Estribaciones/Foothills - constituyen las elevaciones de menor altitud junto a la base de los Andes (alrededor de los 600-1200 m.), con una alta precipitación (mayor hacia el norte).

Tropical Húmedo/Humid Tropical - comprende varios tipos de bosque en las tierras bajas orientales del Ecuador, abajo de los 600-800 m.; originalmente cubiertos casi en su totalidad por bosques, pero ahora cada vez más modificados por actividades humanas (especialmente cerca de los centros poblados en su zona occidental). Algunos hábitats semiabiertos tienen lugar junto a los ríos, tanto en islas y en áreas frecuentemente inundadas. Incluye dos tipos básicos de bosque: «terra firme» en las áreas más altas con buen drenaje, y «várzea» en las áreas bajas estacionalmente u ocasionalmente inundables.

CODIFICACIÓN

Categorías de residencia

Debe asumirse que todas las especies son residentes en Ecuador a menos que se indique lo contrario; en el caso de las primeras, el casillero de "estado de residencia" se encuentra en blanco (ver Fig. 1).

mb - especie de ave migratoria boreal que se reproduce en América del Norte y

---

Foothills/Estribaciones - *lowermost elevations along the base of the Andes (ca. 600-1200 m), with very high rainfall (greater northward).*

Humid Tropical/Tropical Húmedo - *incorporates various forest types in the lowlands of e. Ecuador below 600-800 m; originally almost entirely forested but now increasingly modified by human activities (especially near population centers in its western sector); some semiopen habitats occur along rivers, both on islands and in frequently inundated areas; includes two basic forest types: «terra firme» in well-drained upland areas, and «várzea» in seasonally or occasionally flooded low-lying areas.*

CODING

Residency categories

All species are to be presumed resident in Ecuador unless otherwise indicated; these species have the "residency status" box left blank (see Fig. 1).

mb - *a* boreal *migrant bird species that breeds in North America, passing the northern winter southward. These occur in Ecuador primarily between September-November and March-April. A few of these species*

pasa el invierno septentrional en el sur. Estas se encuentran en Ecuador principalmente en los períodos entre septiembre-noviembre y marzo-abril. Algunas de estas especies se encuentran solamente como transeúntes en ruta hacia sus áreas de invernación, más hacia el sur en Sudamérica; sin embargo aquí no se hace ninguna distinción.

ma - especie de ave migratoria austral que sólo se reproduce más hacia el sur en América del Sur y pasa el invierno austral en el norte (aunque permanecen principalmente en el continente sudamericano). Estas se encuentran en Ecuador principalmente en los períodos entre abril-mayo y septiembre-octubre.

mi - especie de ave migratoria intertropical que pasa parte del año en Ecuador y entonces migra hacia otra área tropical; existen sólo algunas de estas especies y algunas de ellas se reproducen en Ecuador (e.g., Tangara Negriblanca / *Conothraupis speculigera*) mientras otras no lo hacen (e.g., Espiguero de Lesson / *Sporophila bouvronides*).

v - categoría designada a aquellas especies de aves vagabunda o errante, lo cual implica que pasa por Ecuador ocasionalmente y a intervalos irregulares. Son por lo tanto, especies que se encuentran por lo general cerca del Ecuador (e.g., Ibis Caripelado/*Phimosus infuscatus*, Jabirú/ *Jabiru mycteria*). Nótese que ciertas especies se han ubicado en la categoría de migratorias boreales o australes, sin

---

occur only as transients en route to wintering areas further south in South America; these have not been distinguished here.

ma - *an* austral *migrant bird species that only breeds further south in South America, passing the austral winter northward (though mainly remaining on the South American continent). These occur in Ecuador primarily between April-May and September-October.*

mi - *an* intertropical *migrant bird species that spends only part of the year in Ecuador and then migrates to another tropical area; there are only a few such species, some of them breeding in Ecuador (e.g., Black-and-white Tanager) and others occurring only as nonbreeders (e.g., Lesson's Seedeater).*

v - *a* vagrant *bird species, implying that it wanders to Ecuador only rarely and at irregular intervals. These are mainly species that regularly occur close to Ecuador (e.g., Bare-faced Ibis, Jabiru). Note that species that clearly can be placed in either the boreal or austral migrant category have always been placed there,* regardless *of their rarity in Ecuador; thus, for instance, various* Larus *gulls breeding in the Northern Hemisphere*

tomar en cuenta su rareza en Ecuador, así por ejemplo, varias gaviotas del género <u>Larus</u> que se reproducen en el hemisferio norte, en esta lista han sido clasificadas como "migratorias boreales" pese a que sólo podrían haber uno o dos registros de ellas en el país.

r - categoría para pocas especies (e.g., Mosquero Ventriazufrado / *Myiodynastes maculatus*) que en Ecuador presentan poblaciones tanto residentes como migratorias. En estos pocos casos, el estado de cada población se ha separado y la población <u>residente</u> se ha señalado con una "r".

<u>Categorías de abundancia</u>

C - <u>común</u>; especie que se encuentra en esa región y zona altitudinal en gran número y puede ser registrada con frecuencia por observadores razonablemente experimentados, por lo menos en base a su canto.

U - <u>poco común</u>; especie que tiene lugar en esa región y zona altitudinal en poco número, pero que puede ser registrada con cierta regularidad por observadores razonablemente experimentados, por lo menos en base a su canto.

R - <u>rara</u>; especie que se halla en esa región y zona altitudinal solamente en números muy pequeños (y a menudo también es muy local), y por lo tanto sólo se registrará con poca frecuencia, incluso por parte de observadores experimentados.

---

have here been termed "boreal migrants" even though there may be only one or two records of them from the country.

r - *for a very few species (e.g., Streaked Flycatcher) both resident and migratory populations occur in Ecuador. In these few cases, the status of each population is broken down separately, with the* <u>resident</u> *population designated with "r".*

<u>Abundance categories</u>

C - <u>common</u>; *a species that occurs in that region and elevation zone in large numbers and can be recorded frequently by reasonably experienced observers, at least by voice.*

U - <u>uncommon</u>; *a species that occurs in that region and elevation zone in small numbers but which can be recorded with fair regularity by reasonably experienced observers, at least by voice.*

R - <u>rare</u>; *a species that occurs in that region and elevation zone in only very small numbers (and often is quite local as well), and therefore will be recorded only infrequently, even by the most experienced observers.*

R - muy rara; especie de la cual se sabe que existe en esa región y zona altitudinal sólo gracias a unos pocos registros y por lo tanto no debería confiar en observarla (e.g., Brillante Gorjirrosado / *Heliodoxa gularis*, Picoguadaña Grande / *Campylorhamphus pucheranii*), o es extremadamente localizada incluso en esa área (e.g., Rascón Plomizo / *Pardirallus sanguinolentus*, Solitario Rufimoreno / *Cichlopsis leucogenys*). En esta categoría se incluyen varias especies migratorias de largas distancias que se han registrado en Ecuador sólo una o pocas veces (e.g., Dormilona Carinegruzca / *Muscisaxicola macloviana*, Gaviota Dorsinegra Menor / *Larus fuscus*).

X - especie extirpada de esa región y zona altitudinal.

? - un interrogante se ha añadido siempre que no exista una certeza substancial respecto al rango o estado de una especie.

Modificadores geográficos

n - norte; especie que se halla principalmente en la porción norte de esa región y zona altitudinal.

s - sur; especie que se encuentra principalmente en la porción sur de esa región y zona altitudinal.

m - Marañón; especie que ocurre solamente en las estribaciones de la cuenca

---

R - very rare; *a species that is known in that region and elevation zone from only a few records and therefore is never to be expected (e.g., Pink-throated Brilliant, Greater Scythebill), or is extremely local even in that area (e.g., Plumbeous Rail, Rufous-brown Solitaire) ; included in this category are several long-distance migratory species that have only been recorded in Ecuador once or a few times (e.g., Dark-faced Ground-Tyrant, Lesser Black-backed Gull).*

X - extirpated *from that region and elevation zone.*

? - *a query has been added whenever there is substantial* uncertainty *regarding a species' status or range.*

Geographical modifiers

n - north; *a species that occurs mainly in the northern portion of that region and elevation zone.*

s - south; *a species that occurs mainly in the southern portion of that region and elevation range.*

m - Marañón; *a species that occurs only in the foothills of the Río*

del Río Marañón, cerca de y justamente al norte de Zumba en el extremo sudoriental.

Endemismo

Relativamente pocas aves son verdaderamente endémicas para Ecuador, en parte debido a su reducido tamaño así como a su posición geográfica con relación a sus países vecinos. Por esta razón, hemos incluido dentro de nuestra definición de "endémica" a cualquier especie que tiene un rango restringido compartido sólo con los países vecinos: Colombia y Perú. Estas especies (que denominamos "endémicas compartidas") se señalan en la lista por un recuadro negro más resaltado en el "casillero de comprobación" de la especie, que se encuentra a la izquierda del nombre de la especie (ver Fig. 1).

Marañón drainage around and just to the north of Zumba in the extreme southeast.

Endemism

Relatively few birds are actually endemic to Ecuador, in part because of its small size, in part because of its geographical position relative to adjacent countries. For this reason we have included within our working definition of "endemic" any species whose limited range is shared only with adjacent Colombia or Peru. These species (which we term "shared endemics") have been indicated on our list by a widened black border on the species' "check box" to the left of that species name (see Fig. 1).

DISEÑO ESQUEMÁTICO DEL LIBRO (Figura 1), página xix

La lista anotada ha sido diseñada para destacar las catorce regiones geográficas y/o zonas altitudinales ("zonas de vida") que se describieron anteriormente. Para cada una de las 1.580 especies de aves listadas, hemos incluido información básica respecto a su abundancia relativa dentro de su zona de distribución así como su estado de residencia y migración, y endemismo (ver más arriba). También se provee el número de especies correspondiente a cada una de las 82 familias de aves que se encuentran en Ecuador. Nota: las catorce "zonas de vida" se colocan como encabezado, en español en las páginas impares, y en inglés en las páginas pares. Para cada una de las familias y especies se proveen los nombres científico, en inglés y común en español.

Los nombres de las especies que se encuentran entre los símbolos [ ] indican que dicha especie se ha registrado en Ecuador sólo visualmente y que hasta el momento no se ha obtenido un espécimen colectado, registro directo grabado, o fotografía para verificar su inclusión en la lista.

Traducción al español: Sandra Loor-Vela

SCHEMATIC DESIGN OF THE BOOK (Figure 1), page xx

The annotated check-list has been set up to highlight the fourteen geographical regions and/or elevation zones ("life- zones") that are described above. For each of the 1,580 bird species listed, we include basic information regarding relative abundance within their zonal distribution as well as residency and migratory status, and endemism (see above). The number of species pertaining to each of the 82 avian families found in Ecuador is also given. Note: the fourteen "life-zones" *are placed as a* heading *- in* Spanish on odd numbered pages, *and in* English on even numbered pages. *All avian names are given as scientific, English, and Spanish vernacular for each and every family and species.*

Species names that are placed within [ ] *indicate that said species is recorded within Ecuador only visually and that no voucher specimen, direct tape-recording, or photograph was obtained at present to verify its inclusion in the list.*

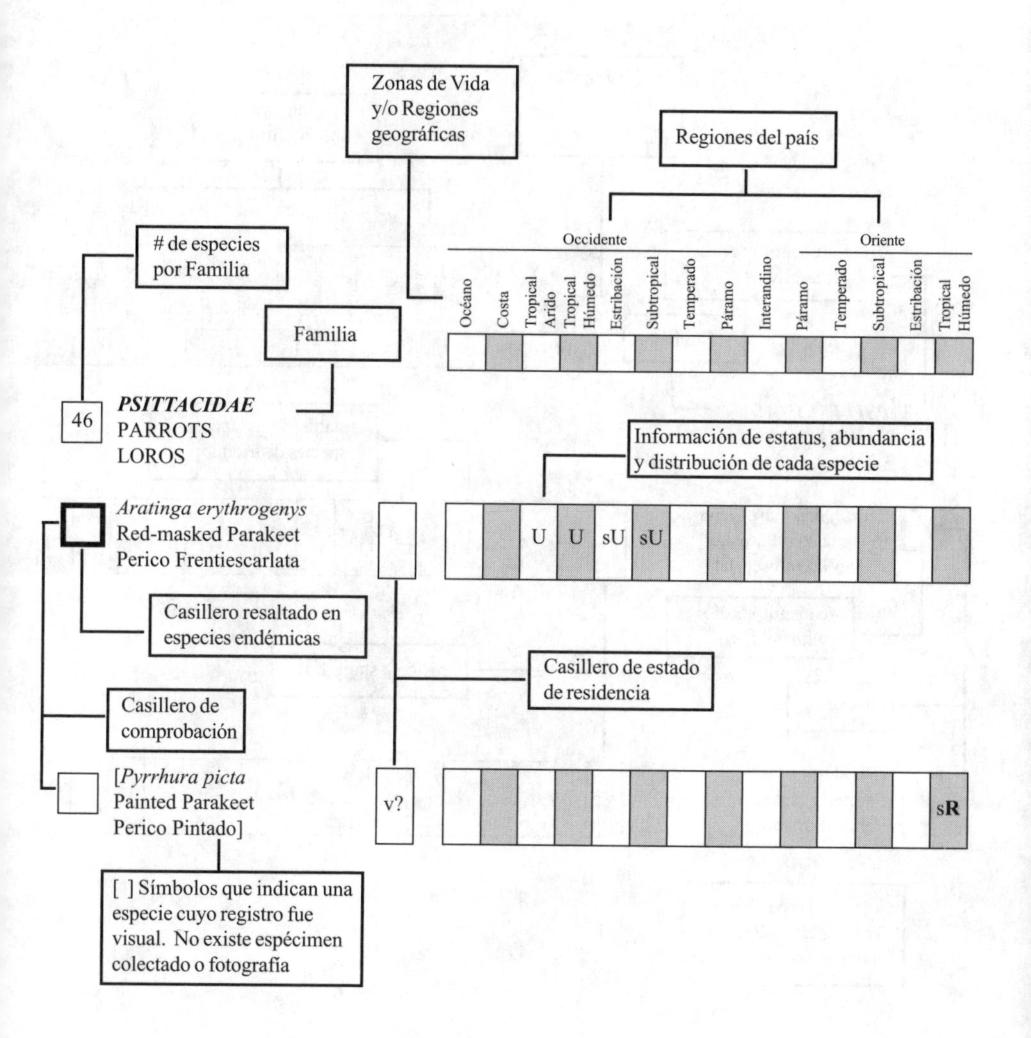

Figura 1. Diseño esquemático

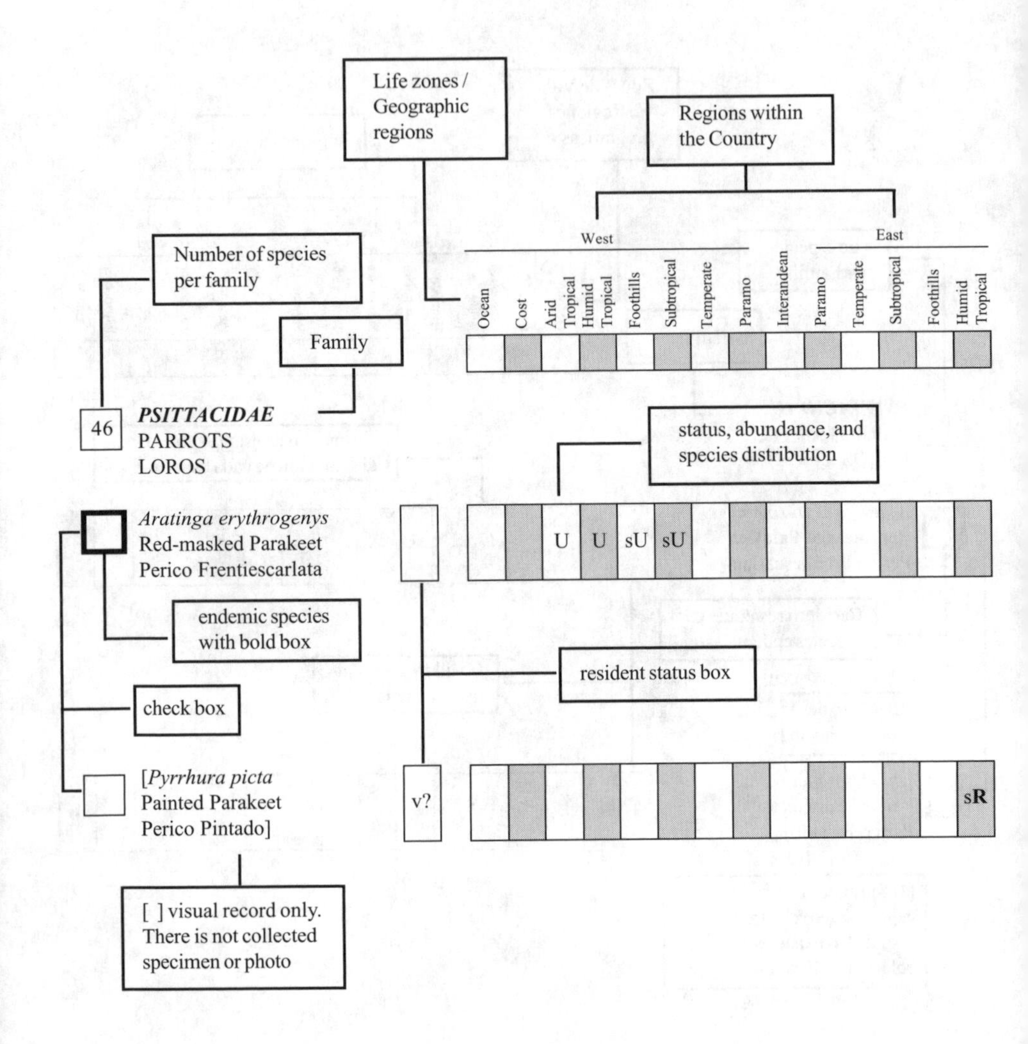

Figure 1. Schematic Design

CODIGOS / CODES

Categorías de Residencia / Residence Categories

mb = migrante boreal / boreal migrant

ma = migrante austral / austral migrant

mi = migrante intertropical / intertropical migrant

v = vagrante, vagabunda / vagrant

r = residente / resident

Categorías de Abundancia / Abundance Categories

C = Común / Common

U = Poco común / Uncommon

R = Raro / Rare

R = Muy raro / Very rare

X = Extirpada / Extirpated

? = Estado desconocido / Uncertainty status or range

Modificadores Geográficos / Geographical Modifiers

n = norte / north

s = sur / south

m = Marañón / Marañón

	Occidente									Oriente				
	Océano	Costa	Tropical Arido	Tropical Húmedo	Estribación	Subtropical	Templado	Páramo	Interandino	Páramo	Temperado	Subtropical	Estribaciones	Tropical Húmedo
16 ***TINAMIDAE*** TINAMOUS TINAMUES														
Tinamus tao Gray Tinamou Tinamú Gris													R	R
Tinamus major Great Tinamou Tinamú Grande				nU		nR							R	U
Tinamus guttatus White-throated Tinamou Tinamú Goliblanco														U
Nothocercus bonapartei Highland Tinamou Tinamú Serrano												R		
Nothocercus julius Tawny-breasted Tinamou Tinamú Pechileonado							nR				U			
Crypturellus cinereus Cinereous Tinamou Tinamú Cenizo														C
Crypturellus berlepschi Berlepsch's Tinamou Tinamú de Berlepsch				nR										
Crypturellus soui Little Tinamou Tinamú Chico				C	C								U	C
Crypturellus obsoletus Brown Tinamou Tinamú Pardo													R	
Crypturellus undulatus Undulated Tinamou Tinamú Ondulado														C
Crypturellus variegatus Variegated Tinamou Tinamú Abigarrado														U
Crypturellus bartletti Bartlett's Tinamou Tinamú de Bartlett														R

	Species		West									East				
			Ocean	Coast	Arid Tropical	Humid Tropical	Foothills	Subtropical	Temperate	Paramo	Interandean	Paramo	Temperate	Subtropical	Foothills	Humid Tropical
	Crypturellus transfasciatus Pale-browed Tinamou Tinamú Cejiblanco				sU		sU									
	Crypturellus tataupa Tataupa Tinamou Tinamú Tataupá														mU	
	Nothoprocta pentlandii Andean Tinamou Tinamú Andino						sU	sU								
	Nothoprocta curvirostris Curve-billed Tinamou Tinamú Piquicurvo									U		U				
3	***PODICIPEDIDAE*** GREBES ZAMBULLIDORES															
	Tachybaptus dominicus Least Grebe Zambullidor Menor				C	U										R
	Podiceps occipitalis Silvery Grebe Zambullidor Plateado									nR	R					
	Podilymbus podiceps Pied-billed Grebe Zambullidor Piquipinto				C	U					nU					
1	***SPHENISCIDAE*** PENGUINS PINGÜINOS															
	[*Spheniscus humboldti* Humboldt Penguin Pingüino de Humboldt]	v	**R**													
2	***DIOMEDEIDAE*** ALBATROSSES ALBATROSES															
	Phoebastria irrorata Waved Albatross Albatros de Galápagos		R													
	Thalassarche melanophris Black-browed Albatross Albatros Ojeroso	ma	**R**													

		Occidente									Oriente				
		Océano	Costa	Tropical Arido	Tropical Húmedo	Estribación	Subtropical	Templado	Páramo	Interandino	Páramo	Temperado	Subtropical	Estribaciones	Tropical Húmedo

9 ***PROCELLARIIDAE***
SHEARWATERS AND PETRELS
PARDELAS Y PETRELES

Species	Status	Océano	Costa	Tropical Arido	Tropical Húmedo	Estribación	Subtropical	Templado	Páramo	Interandino	Páramo	Temperado	Subtropical	Estribaciones	Tropical Húmedo
Fulmarus glacialoides Southern Fulmar Fulmar Sureño	ma	**R**													
Daption capense Cape Petrel Petrel Pintado	ma	**R**													
Pterodroma phaeopygia Galápagos Petrel Petrel de Galápagos		R													
[*Procellaria aequinoctialis* White-chinned Petrel Petrel Barbiblanco]	ma	**R**													
Procellaria parkinsoni Parkinson's Petrel Petrel de Parkinson	ma	U													
Puffinus creatopus Pink-footed Shearwater Pardela Patirrosada	ma	U													
Puffinus bulleri Buller's Shearwater Pardela de Buller	ma	**R**													
Puffinus griseus Sooty Shearwater Pardela Sombría	ma	U													
[*Puffinus lherminieri* Audubon's Shearwater Pardela de Audubon]	v	**R**													

10 ***HYDROBATIDAE***
STORM-PETRELS
PAIÑOS

Species	Status	Océano	Costa	Tropical Arido	Tropical Húmedo	Estribación	Subtropical	Templado	Páramo	Interandino	Páramo	Temperado	Subtropical	Estribaciones	Tropical Húmedo
Oceanites oceanicus Wilson's Storm-Petrel Paíño de Wilson	ma	R													
Oceanites gracilis White-vented Storm-Petrel Paíño Grácil		U													

	Species	Status	Ocean	West: Coast	West: Arid Tropical	West: Humid Tropical	West: Foothills	West: Subtropical	West: Temperate	West: Paramo	Interandean	East: Paramo	East: Temperate	East: Subtropical	East: Foothills	East: Humid Tropical
☐	*Pelagodroma marina* White-faced Storm-Petrel Paíño Cariblanco	v	**R**													
☐	*Oceanodroma microsoma* Least Storm-Petrel Paíño Menudo	mb	R													
☐	*Oceanodroma tethys* Wedge-rumped Storm-Petrel Paíño Danzarín		U													
☐	[*Oceanodroma castro* Band-rumped Storm-Petrel Paíño Lomibandeado]	v	**R**													
☐	*Oceanodroma markhami* Markham's Storm-Petrel Paíño de Markham	ma	U													
☐	*Oceanodroma melania* Black Storm-Petrel Paíño Negro	mb	U													
☐	[*Oceanodroma homochroa* Ashy Storm-Petrel Paíño Cenizo]	v	**R**													
☐	*Oceanodroma hornbyi* Ringed Storm-Petrel Paíño Anillado	ma	R													
1	***PHAETHONTIDAE*** TROPICBIRDS RABIJUNCOS															
☐	*Phaethon aethereus* Red-billed Tropicbird Rabijunco Piquirrojo		U													
2	***FREGATIDAE*** FRIGATEBIRDS FRAGATAS															
☐	*Fregata magnificens* Magnificent Frigatebird Fragata Magnífica		U	C												
☐	[*Fregata minor* Great Frigatebird Fragata Grande]	v	**R**													

	Species		Occidente									Oriente				
			Océano	Costa	Tropical Arido	Tropical Húmedo	Estribación	Subtropical	Templado	Páramo	Interandino	Páramo	Temperado	Subtropical	Estribaciones	Tropical Húmedo
5	***SULIDAE*** BOOBIES PIQUEROS															
	Sula nebouxii Blue-footed Booby Piquero Patiazul		C	C												
	Sula variegata Peruvian Booby Piquero Peruano	v	**R**	s**R**												
	Sula dactylatra Masked Booby Piquero Enmascarado		U													
	[*Sula leucogaster* Brown Booby Piquero Pardo]	v	n**R**													
	Sula sula Red-footed Booby Piquero Patirrojo		U													
2	***PHALACROCORACIDAE*** CORMORANTS CORMORANES															
	Phalacrocorax brasilianus Neotropic Cormorant Cormorán Neotropical			C	U	U	U									U
	Phalacrocorax bougainvillii Guanay Cormorant Cormorán Guanero	v		s**R**												
1	***ANHINGIDAE*** ANHINGAS ANINGAS															
	Anhinga anhinga Anhinga Aninga			sU		sR										U
2	***PELECANIDAE*** PELICANS PELICANOS															
	Pelecanus occidentalis Brown Pelican Pelícano Pardo		U	C												

			West									East				
			Ocean	Coast	Arid Tropical	Humid Tropical	Foothills	Subtropical	Temperate	Paramo	Interandean	Paramo	Temperate	Subtropical	Foothills	Humid Tropical
	Pelecanus thagus Peruvian Pelican Pelícano Peruano		sU	sU												
1	***ANHIMIDAE*** SCREAMERS GRITADORES															
	Anhima cornuta Horned Screamer Gritador Unicornio				sU											R
16	***ANATIDAE*** DUCKS PATOS															
	Dendrocygna bicolor Fulvous Whistling-Duck Pato-Silbón Canelo				C	U										
	Dendrocygna autumnalis Black-bellied Whistling-Duck Pato-Silbón Ventrinegro			C	U											nR
	Neochen jubatus Orinoco Goose Ganso del Orinoco	v?														**R**
	Anas andium Andean Teal Cerceta Andina									U		U				
	Anas bahamensis White-cheeked Pintail Anade Cariblanco			U	U											
	Anas spinicauda Yellow-billed Pintail Anade Piquiamarillo									U	R	U				
	Anas discors Blue-winged Teal Cerceta Aliazul	mb			sC	U	R			nU	nU	nU				R
	Anas cyanoptera Cinnamon Teal Cerceta Colorada	mb r									n**R** nX					
	Merganetta armata Torrent Duck Pato Torrentero						nR	U	U		nR		U	U	U	

	Especie		Occidente									Oriente				
			Océano	Costa	Tropical Arido	Tropical Húmedo	Estribación	Subtropical	Templado	Páramo	Interandino	Páramo	Temperado	Subtropical	Estribaciones	Tropical Húmedo
	Anas clypeata Northen Shoveler Pato Cuchara Norteño	mb		s**R**												
	Netta erythrophthalma Southern Pochard Porrón Sureño				s**R**	s**R**					n**R**					
	Aythya affinis Lesser Scaup Porrón Menor	mb									n**R**					
	Sarkidiornis melanotos Comb Duck Pato Crestudo			sR	sR	sR						nR				
	Cairina moschata Muscovy Duck Pato Real			sR	sR											R
	Oxyura ferruginea Andean Duck Pato Andino									U	U	U				
	Oxyura dominica Masked Duck Pato Enmascarado				R	R					nR					nR
1	***PHOENICOPTERIDAE*** FLAMINGOS FLAMENCOS															
	Phoenicopterus chilensis Chilean Flamingo Flamenco Chileno	mb		sU												
20	***ARDEIDAE*** HERONS AND BITTERNS GARZAS Y MIRASOLES															
	Ardea herodias Great Blue Heron Garzón Azulado	mb		**R**							n**R**					
	Ardea cocoi Cocoi Heron Garzón Cocoi			U	sU											U
	Ardea alba Great Egret Garceta Grande			C	U	U					nU					U

Species	Status	Ocean (West)	Coast (West)	Arid Tropical (West)	Humid Tropical (West)	Foothills (West)	Subtropical (West)	Temperate (West)	Paramo (West)	Interandean	Paramo (East)	Temperate (East)	Subtropical (East)	Foothills (East)	Humid Tropical (East)
☐ *Egretta thula* Snowy Egret Garceta Nívea			C	U	U	U				U					U
☐ *Egretta caerulea* Little Blue Heron Garceta Azul	mb r		C C	U						nU					R
☐ *Egretta tricolor* Tricolored Heron Garceta Tricolor	mb r		U U												
☐ *Butorides virescens* Green Heron Garcilla Verde	mb		nR												nR
☐ *Butorides striatus* Striated Heron Garcilla Estriada			C	U	U					U					U
☐ *Agamia agami* Agami Heron Garza Agami				nR											nR
☐ *Pilherodius pileatus* Capped Heron Garza Pileada															U
☐ *Bubulcus ibis* Cattle Egret Garceta Bueyera	mb r		U	C C	C C	R				nU				nU	nU
☐ *Cochlearius cochlearius* Boat-billed Heron Garza Cucharón															U
☐ *Nycticorax nycticorax* Black-crowned Night-Heron Garza-Nocturna Coroninegra	mb		U	R						nU				nR	nR
☐ *Nyctanassa violacea* Yellow-crowned Night-Heron Garza-Nocturna Coroniamarilla			sU	sR	R										
☐ *Tigrisoma lineatum* Rufescent Tiger-Heron Garza-Tigre Castaña				sR										U	U
☐ *Tigrisoma fasciatum* Fasciated Tiger-Heron Garza-Tigre Barreteada					R	R							R	R	

Species	Status	Occidente: Océano	Occidente: Costa	Occidente: Tropical Arido	Occidente: Tropical Húmedo	Occidente: Estribación	Occidente: Subtropical	Occidente: Templado	Occidente: Páramo	Interandino	Oriente: Páramo	Oriente: Temperado	Oriente: Subtropical	Oriente: Estribaciones	Oriente: Tropical Húmedo
☐ *Zebrilus undulatus* Zigzag Heron Garcilla Cebra															R
☐ [*Ixobrychus involucris* Stripe-backed Bittern Mirasol Dorsiestriado]	v														n**R**
☐ *Ixobrychus exilis* Least Bittern Mirasol Menor				sR											nR
☐ *Botaurus pinnatus* Pinnated Bittern Mirasol Pinado				sR	sR										

7 ***THRESKIORNITHIDAE***
IBISES AND SPOONBILLS
IBISES Y ESPATULAS

Species	Status	Occidente: Océano	Occidente: Costa	Occidente: Tropical Arido	Occidente: Tropical Húmedo	Occidente: Estribación	Occidente: Subtropical	Occidente: Templado	Occidente: Páramo	Interandino	Oriente: Páramo	Oriente: Temperado	Oriente: Subtropical	Oriente: Estribaciones	Oriente: Tropical Húmedo
☐ *Theristicus melanopis* Black-faced Ibis Bandurria Carinegra											nR				
☐ *Mesembrinibis cayennensis* Green Ibis Ibis Verde															U
☐ *Phimosus infuscatus* Bare-faced Ibis Ibis Caripelado	v														n**R**
☐ *Eudocimus albus* White Ibis Ibis Blanco			U	R	R										
☐ [*Eudocimus ruber* Scarlet Ibis Ibis Escarlata]	v														n**R**
☐ [*Plegadis falcinellus* Glossy Ibis Ibis Bronceado]	mb			s**R**											
☐ *Ajaia ajaja* Roseate Spoonbill Espátula Rosada			sU	sR											R

			West									East				
			Ocean	Coast	Arid Tropical	Humid Tropical	Foothills	Subtropical	Temperate	Paramo	Interandean	Paramo	Temperate	Subtropical	Foothills	Humid Tropical
2	***CICONIIDAE*** STORKS CIGÜENAS AMERICANAS															
	Mycteria americana Wood Stork Cigüeña Americana			sU	sU	sR					R	nR			R	
	[*Jabiru mycteria* Jabiru Jabirú]	v														nR
5	***CATHARTIDAE*** AMERICAN VULTURES CONDORES Y GALLINAZOS															
	Vultur gryphus Andean Condor Cóndor Andino									R	R	R				
	Sarcoramphus papa King Vulture Gallinazo Rey				R	R										U
	Coragyps atratus Black Vulture Gallinazo Negro				C	C	U	U	U		U		U	U	U	C
	Cathartes aura Turkey Vulture Gallinazo Cabecirrojo	mb r		U	U	R C	U	U			R			U	U	? R
	Cathartes melambrotus Greater Yellow-headed Vulture Gallinazo Cabeciamarillo Mayor														U	C
48	***ACCIPITRIDAE*** KITES, EAGLES, AND HAWKS ELANIOS, AGUILAS Y GAVILANES															
	Pandion haliaetus Osprey Aguila Pescadora	mb		U	U	U	R				U			R	R	U
	Leptodon cayanensis Gray-headed Kite Elanio Cabecigrís					U	R									U
	Chondrohierax uncinatus Hook-billed Kite Elanio Piquiganchudo					R	R	R						R	R	R

	Species	Status	Océano	Costa	Tropical Arido	Tropical Húmedo	Estribación	Subtropical	Templado	Páramo	Interandino	Páramo	Temperado	Subtropical	Estribaciones	Tropical Húmedo
			Occidente									Oriente				
☐	*Elanoides forficatus* Swallow-tailed Kite Elanio Tijereta	mb r ma			R	? C ?	C	U						U	U	? C ?
☐	*Gampsonyx swainsonii* Pearl Kite Elanio Perla				U											nR
☐	*Elanus leucurus* White-tailed Kite Elanio Coliblanco					nR										nR
☐	*Rostrhamus sociabilis* Snail Kite Elanio Caracolero				sU	sU										nR
☐	*Rostrhamus hamatus* Slender-billed Kite Elanio Piquigarfio															nU
☐	*Harpagus bidentatus* Double-toothed Kite Elanio Bidentado					nU	nU	nU						R	U	U
☐	[*Harpagus diodon* Rufous-thighed Kite Elanio Muslirrufo]	ma?														nR
☐	*Ictinia plumbea* Plumbeous Kite Elanio Plomizo	mb r ma			R	? U ?	U								R	? C C?
☐	[*Ictinia mississippiensis* Mississippi Kite Elanio de Mississippi]	mb													nR	?
☐	*Circus cinereus* Cinereous Harrier Aguilucho Cenizo									R		R				
☐	*Geranospiza caerulescens* Crane Hawk Gavilán Zancón				U	U										U
☐	*Accipiter ventralis* Plain-breasted Hawk Azor Pechillano						R	U	U		U		U	U		
☐	*Accipiter collaris* Semicollared Hawk Azor Semicollarejo							nR						R		

			West									East				
			Ocean	Coast	Arid Tropical	Humid Tropical	Foothills	Subtropical	Temperate	Paramo	Interandean	Paramo	Temperate	Subtropical	Foothills	Humid Tropical
☐	*Accipiter superciliosus* Tiny Hawk Azor Chico					R										R
☐	*Accipiter bicolor* Bicolored Hawk Azor Bicolor				R	R	R	R						R	R	R
☐	*Accipiter poliogaster* Gray-bellied Hawk Azor Ventrigris	ma?														**R**
☐	*Leucopternis schistacea* Slate-colored Hawk Gavilán Pizarroso															U
☐	*Leucopternis plumbea* Plumbeous Hawk Gavilán Plomizo					nR	nR	nR								
☐	*Leucopternis semiplumbea* Semiplumbeous Hawk Gavilán Semiplomizo					nR	nR									
☐	*Leucopternis melanops* Black-faced Hawk Gavilán Carinegro															R
☐	*Leucopternis albicollis* White Hawk Gavilán Blanco														R	R
☐	*Leucopternis occidentalis* Gray-backed Hawk Gavilán Dorsigris				U	U	sU									
☐	*Leucopternis princeps* Barred Hawk Gavilán Barreteado						U	U						R	R	
☐	*Buteogallus meridionalis* Savanna Hawk Gavilán Sabanero				sU	sR	sU	sR								
☐	*Buteogallus subtilis* Mangrove Black-Hawk Gavilán Manglero			sU												
☐	*Buteogallus urubitinga* Great Black-Hawk Gavilán Negro Mayor				sR	sR	sR									U

Species	Status	Occidente									Oriente				
		Océano	Costa	Tropical Arido	Tropical Húmedo	Estribación	Subtropical	Templado	Páramo	Interandino	Páramo	Temperado	Subtropical	Estribaciones	Tropical Húmedo
Parabuteo unicinctus Harris' Hawk Gavilán Alibayo				U		sU	sU			nU				sR	
Busarellus nigricollis Black-collared Hawk Gavilán de Ciénega															nR
Harpyhaliaetus solitarius Solitary Eagle Aguila Solitaria						sR	sR						R	R	
Geranoaetus melanoleucus Black-chested Eagle Aguila Pechinegra				sR				R	U	R	U	R			
Asturina nitida Gray-lined Hawk Gavilán Nítido				sU	sR									sR	sR
Buteo magnirostris Roadside Hawk Gavilán Caminero					C	C	U						U	C	C
Buteo leucorrhous White-rumped Hawk Gavilán Lomiblanco							R	R				R	R		
Buteo platypterus Broad-winged Hawk Gavilán Aludo	mb					U	U	U		R		U	U	U	R
Buteo brachyurus Short-tailed Hawk Gavilán Colicorto				U	U	U	U						U	U	R
Buteo albigula White-throated Hawk Gavilán Goliblanco							R	R		nR		R	R		
Buteo swainsoni Swainson's Hawk Gavilán de Swainson	mb				?					R			R		R
Buteo albonotatus Zone-tailed Hawk Gavilán Colifajeado				sR		sR	sR							R	R
Buteo polyosoma Variable Hawk Gavilán Variable				sU			U	U	U	R	U				

Species	West									East				
	Ocean	Coast	Arid Tropical	Humid Tropical	Foothills	Subtropical	Temperate	Paramo	Interandean	Paramo	Temperate	Subtropical	Foothills	Humid Tropical
Morphnus guianensis Crested Eagle Aguila Crestada				?		nR								R
Harpia harpyja Harpy Eagle Aguila Harpía				nX?										R
Spizastur melanoleucus Black-and-white Hawk-Eagle Azor-Aguila Blanco y Negro				nR	nR								R	R
Spizaetus tyrannus Black Hawk-Eagle Azor-Aguila Negro				R	R	R							R	U
Spizaetus ornatus Ornate Hawk-Eagle Azor-Aguila Adornado				R	R									R
Oroaetus isidorei Black-and-chestnut Eagle Aguila Negra y Castaña					R	R	R				R	R	R	

19 *FALCONIDAE*

FALCONS AND CARACARAS
HALCONES Y CARACARAS

Species	Ocean	Coast	Arid Tropical	Humid Tropical	Foothills	Subtropical	Temperate	Paramo	Interandean	Paramo	Temperate	Subtropical	Foothills	Humid Tropical
Daptrius ater Black Caracara Caracara Negro													U	C
Ibycter americanus Red-throated Caracara Caracara Ventriblanco				R	nR								R	U
Caracara plancus Crested Caracara Caracara Crestado			U		sR	sU	sU		sR					
Phalcoboenus carunculatus Carunculated Caracara Caracara Curiquingue								U		U				
Phalcoboenus megalopterus Mountain Caracara Caracara Montañero										sR				
Milvago chimachima Yellow-headed Caracara Caracara Cabeciamarillo														nU

Species	Status	Océano	Costa	Tropical Arido	Tropical Húmedo	Estribación	Subtropical	Templado	Páramo	Interandino	Páramo	Temperado	Subtropical	Estribaciones	Tropical Húmedo
		Occidente									Oriente				
Micrastur ruficollis Barred Forest-Falcon Halcón-Montés Barreteado					nU	U	U						U	U	R
Micrastur gilvicollis Lined Forest-Falcon Halcón-Montés Lineado														R	R
Micrastur plumbeus Plumbeous Forest-Falcon Halcón-Montés Plomizo					nR	nR									
Micrastur mirandollei Slaty-backed Forest-Falcon Halcón-Montés Dorsigris															R
Micrastur semitorquatus Collared Forest-Falcon Halcón-Montés Collarejo					U	U	R						R	U	U
Micrastur buckleyi Buckley's Forest-Falcon Halcón-Montés de Buckley															R
Herpetotheres cachinnans Laughing Falcon Halcón Reidor				U	U	R								R	U
Falco sparverius American Kestrel Cernícalo Americano				sU			U	U		C	R				
Falco columbarius Merlin Esmerejón	mb		R	R						R					
Falco rufigularis Bat Falcon Halcón Cazamurciélagos				R	U	U								U	U
Falco deiroleucus Orange-breasted Falcon Halcón Pechinaranja					n?								R	R	R
Falco femoralis Aplomado Falcon Halcón Aplomado									R	R	R				
Falco peregrinus Peregrine Falcon Halcón Peregrino	mb r		U	R		R	R	nR	R	R nR					

14 ***CRACIDAE***
CURASSOWS AND GUANS
PAVONES Y PAVAS

Species		West: Ocean	West: Coast	West: Arid Tropical	West: Humid Tropical	West: Foothills	West: Subtropical	West: Temperate	West: Paramo	Interandean	East: Paramo	East: Temperate	East: Subtropical	East: Foothills	East: Humid Tropical
Ortalis guttata Speckled Chachalaca Chachalaca Jaspeada														R	C
Ortalis erythroptera Rufous-headed Chachalaca Chachalaca Cabecirrufa				U	U	sU	sR								
Penelope barbata Bearded Guan Pava Barbada								sR		sR		sR			
Penelope montagnii Andean Guan Pava Andina								nU				nU			
Penelope ortoni Baudó Guan Pava Bronceada					nR	R									
Penelope jacquacu Spix's Guan Pava de Spix															R
Penelope purpurascens Crested Guan Pava Crestada					R	R	R								
Pipile cumanensis Blue-throated Piping-Guan Pava-Silbosa Goliazul															U
Aburria aburri Wattled Guan Pava Carunculada						nR	nR						R	R	
Chamaepetes goudotii Sickle-winged Guan Pava Ala de Hoz						U	U						U	U	
Nothocrax urumutum Nocturnal Curassow Pavón Nocturno														R	R
Mitu salvini Salvin's Curassow Pavón de Salvin														R	R

Species	Océano	Costa	Tropical Arido	Tropical Húmedo	Estribación	Subtropical	Templado	Páramo	Interandino	Páramo	Temperado	Subtropical	Estribaciones	Tropical Húmedo
	Occidente									Oriente				
Crax rubra Great Curassow Pavón Grande			X?	R?										
Crax globulosa Wattled Curassow Pavón Carunculado														X?

6 ***ODONTOPHORIDAE***
NEW WORLD QUAILS
CODORNICES DEL NUEVO MUNDO

Species	Océano	Costa	Tropical Arido	Tropical Húmedo	Estribación	Subtropical	Templado	Páramo	Interandino	Páramo	Temperado	Subtropical	Estribaciones	Tropical Húmedo
Odontophorus gujanensis Marbled Wood-Quail Corcovado Carirrojo													?	U
Odontophorus erythrops Rufous-fronted Wood-Quail Corcovado Frenticolorado				U	U									
Odontophorus melanonotus Dark-backed Wood-Quail Corcovado Dorsioscuro						nR								
Odontophorus speciosus Rufous-breasted Wood-Quail Corcovado Pechirrufo												R	R	
Odontophorus stellatus Starred Wood-Quail Corcovado Estrellado														sR
Rhynchortyx cinctus Tawny-faced Quail Codorniz carirrufa				nR										

25 ***RALLIDAE***
RAILS, GALLINULES, AND COOTS
RASCONES, GALLARETAS Y FOCHAS

Species	Océano	Costa	Tropical Arido	Tropical Húmedo	Estribación	Subtropical	Templado	Páramo	Interandino	Páramo	Temperado	Subtropical	Estribaciones	Tropical Húmedo
Anurolimnas castaneiceps Chestnut-headed Crake Polla Cabecicastaña													U	U
Laterallus exilis Gray-breasted Crake Polluela Pechigris				U										U
Laterallus albigularis White-throated Crake Polluela Goliblanca				U	U									

Species		West: Ocean	Coast	Arid Tropical	Humid Tropical	Foothills	Subtropical	Temperate	Paramo	Interandean	East: Paramo	Temperate	Subtropical	Foothills	Humid Tropical
Laterallus melanophaius Rufous-sided Crake Polluela Flanquirrufa														U	U
Laterallus fasciatus Black-banded Crake Polluela Negrilineada														R	R
Laterallus viridis Russet-crowned Crake Polluela Coronirrojiza														**R**	
Pardirallus nigricans Blackish Rail Rascón Negruzco													R	U	
Pardirallus sanguinolentus Plumbeous Rail Rascón Plomizo										**sR**					
Pardirallus maculatus Spotted Rail Rascón Moteado				R											
Rallus longirostris Clapper Rail Rascón Manglero			**R**												
Rallus limicola Virginia Rail Rascón Menor						nR			U	U	U				
Aramides axillaris Rufous-necked Wood-Rail Rascón-Montés Cuellirrufo			U	R		R									
Aramides cajanea Gray-necked Wood-Rail Rascón-Montés Cuelligris															U
Aramides wolfi Brown Wood-Rail Rascón-Montés Moreno			**R**		**R**	**R**									
Aramides calopterus Red-winged Wood-Rail Rascón-Montés Alirrojizo														**R**	**R**
Amaurolimnas concolor Uniform Crake Polla Unicolor					**nR**										**R**

	Species		Océano	Costa	Tropical Arido	Tropical Húmedo	Estribación	Subtropical	Templado	Páramo	Interandino	Páramo	Temperado	Subtropical	Estribaciones	Tropical Húmedo
			Occidente									Oriente				
☐	*Porzana carolina* Sora Sora	mb				sR					nR					
☐	*Porzana flaviventer* Yellow-breasted Crake Polluela Pechiamarilla	mb				s**R**										
☐	*Neocrex erythrops* Paint-billed Crake Polluela Piquipinta				s**R**	s**R**										
☐	*Neocrex columbianus* Colombian Crake Polluela Colombiana					n**R**										
☐	*Porphyrula martinica* Purple Gallinule Gallareta Púrpura					C					nR					nC
☐	*Porphyrula flavirostris* Azure Gallinule Gallareta Azulada															nU
☐	*Gallinula chloropus* Common Gallinule Gallareta Común			C	C	C					nC					nR
☐	*Fulica americana* American Coot Focha Americana										X					
☐	*Fulica ardesiaca* Andean Coot Focha Andina				sR					U	nC	U				
1	***HELIORNITHIDAE*** FINFOOTS AVES SOL															
☐	*Heliornis fulica* Sungrebe Ave-Sol Americano				R	R										U
1	***EURYPYGIDAE*** SUNBITTERNS GARCETAS SOL															
☐	*Eurypyga helias* Sunbittern Garceta Sol						R								U	U

	Species	Status	Ocean	Coast	Arid Tropical	Humid Tropical	Foothills	Subtropical	Temperate	Paramo	Interandean	Paramo	Temperate	Subtropical	Foothills	Humid Tropical
			West									East				
1	***ARAMIDAE*** LIMPKINS CARRAOS															
	Aramus guarauna Limpkin Carrao					sU										R
1	***PSOPHIIDAE*** TRUMPETERS TROMPETEROS															
	Psophia crepitans Gray-winged Trumpeter Trompetero Aligris														R	R
1	***JACANIDAE*** JACANAS JACANAS															
	Jacana jacana Wattled Jaçana Jacana Carunculada				C	U										nU
34	***SCOLOPACIDAE*** SANDPIPERS, SNIPES, PHALAROPES PLAYEROS, BECASINAS Y FALAROPOS															
	Tringa melanoleuca Greater Yellowlegs Patiamarillo Mayor	mb		C	C	R				U	U	U				R
	Tringa flavipes Lesser Yellowlegs Patiamarillo Menor	mb		C	C	R				U	U	U				R
	Tringa solitaria Solitary Sandpiper Playero Solitario	mb			U	U					U					R
	Catoptrophorus semipalmatus Willet Vadeador Aliblanco	mb		C												
	Heteroscelus incanus Wandering Tattler Playero Vagabundo	mb		U												
	Actitis macularia Spotted Sandpiper Playero Coleador	mb		C	U	U	U	U	U		U		U	U	U	C

Especie	Estado	Occidente								Interandino	Oriente				
		Océano	Costa	Tropical Arido	Tropical Húmedo	Estribación	Subtropical	Templado	Páramo		Páramo	Temperado	Subtropical	Estribaciones	Tropical Húmedo
Bartramia longicauda Upland Sandpiper Pradero Colilargo	mb								U	R	U				R
Numenius phaeopus Whimbrel Zarapito Trinador	mb		C												n**R**
Limosa haemastica Hudsonian Godwit Aguja Hudsoniana	mb		sR								nR				n**R**
Limosa fedoa Marbled Godwit Aguja Canela	mb		s**R**												
Arenaria interpres Ruddy Turnstone Vuelvepiedras Rojizo	mb		C												n**R**
Aphriza virgata Surfbird Rompientero	mb		U												
Calidris canutus Red Knot Playero Rojo	mb		sR												
Calidris alba Sanderling Playero Arenero	mb		C												n**R**
[*Calidris alpina* Dunlin Playero Ventrinegro]	mb		s**R**												
Calidris ferruginea Curlew Sandpiper Playero Zarapito	mb		s**R**												
Calidris pusilla Semipalmated Sandpiper Playero Semipalmeado	mb		C												
Calidris mauri Western Sandpiper Playero Occidental	mb		C							R					
Calidris minutilla Least Sandpiper Playero Menudo	mb		C							R	R				nR

	Species	Status	West									East				
			Ocean	Coast	Arid Tropical	Humid Tropical	Foothills	Subtropical	Temperate	Paramo	Interandean	Paramo	Temperate	Subtropical	Foothills	Humid Tropical
☐	*Calidris fuscicollis* White-rumped Sandpiper Playero Lomiblanco	mb								R	R	R				nR
☐	*Calidris bairdii* Baird's Sandpiper Playero de Baird	mb		R							R	U				R
☐	*Calidris melanotos* Pectoral Sandpiper Playero Pectoral	mb		R							U	R				U
☐	*Calidris himantopus* Stilt Sandpiper Playero Tarsilargo	mb		sC	sR						U					
☐	*Tryngites subruficollis* Buff-breasted Sandpiper Praderito Canelo	mb									R	R				nU
☐	*Limnodromus griseus* Short-billed Dowitcher Agujeta Piquicorto	mb		C								R				
☐	[*Gallinago gallinago* Common Snipe Becasina Común]	mb												**R**		n?
☐	*Gallinago paraguaiae* South American Snipe Becasina Sudamericana	v														nR
☐	*Gallinago nobilis* Noble Snipe Becasina Noble								R	R		U	R			
☐	[*Gallinago andina* Puna Snipe Becasina de Puna]											s**R**				
☐	*Gallinago jamesoni* Andean Snipe Becasina Andina									U		U				
☐	*Gallinago imperialis* Imperial Snipe Becasina Imperial								R				R			
☐	*Phalaropus fulicarius* Red Phalarope Falaropo Rojo	mb	U	R												

	Species		Occidente: Océano	Costa	Tropical Arido	Tropical Húmedo	Estribación	Subtropical	Templado	Páramo	Interandino	Oriente: Páramo	Temperado	Subtropical	Estribaciones	Tropical Húmedo
	Phalaropus lobatus Red-necked Phalarope Falaropo Picofino	mb	U	U												
	Steganopus tricolor Wilson's Phalarope Falaropo Tricolor	mb		C						U	nU	U				
2	***THINOCORIDAE*** SEEDSNIPES AGACHONAS															
	Attagis gayi Rufous-bellied Seedsnipe Agachona Ventrirrufa									R		R				
	Thinocorus rumicivorus Least Seedsnipe Agachona Chica			sX												
1	***BURHINIDAE*** THICK-KNEES ALCARAVANES															
	Burhinus superciliaris Peruvian Thick-knee Alcaraván Peruano				sR											
1	***HAEMATOPODIDAE*** OYSTERCATCHERS OSTREROS															
	Haematopus palliatus American Oystercatcher Ostrero Americano			sU												
2	***RECURVIROSTRIDAE*** STILTS AND AVOCETS CIGÜEÑUELAS Y AVOCETAS															
	Himantopus mexicanus Black-necked Stilt Cigüeñuela Cuellinegra			C	sC	sC										
	Recurvirostra americana American Avocet Avoceta Americana	mb		**R**												

13 ***CHARADRIIDAE***
LAPWINGS AND PLOVERS
AVEFRIAS Y CHORLOS

Species	Status	West: Ocean	West: Coast	West: Arid Tropical	West: Humid Tropical	West: Foothills	West: Subtropical	West: Temperate	West: Paramo	Interandean	East: Paramo	East: Temperate	East: Subtropical	East: Foothills	East: Humid Tropical
Vanellus chilensis Southern Lapwing Avefría Sureña															U
Vanellus resplendens Andean Lapwing Avefría Andina									U		U				
Pluvialis squatarola Gray Plover Chorlo Gris	mb		C												n**R**
Pluvialis dominica American Golden-Plover Chorlo Dorado Americano	mb		R								R				R
Pluvialis fulva Pacific Golden-Plover Chorlo Dorado del Pacífico	mb		**R**												
Hoploxypterus cayanus Pied Plover Chorlo Pinto					sR										U
Charadrius semipalmatus Semipalmated Plover Chorlo Semipalmeado	mb		C								nU				nR
Charadrius alexandrinus Snowy Plover Chorlo Níveo			sC												
Charadrius collaris Collared Plover Chorlo Collarejo			sU	sU											U
Charadrius vociferus Killdeer Chorlo Tildío	mb r			sU						nR					
Charadrius wilsonia Wilson's Plover Chorlo de Wilson			sU												
Charadrius melodus Piping Plover Chorlo Silbador	mb		s**R**												

	Species	Status	Occidente: Océano	Costa	Tropical Arido	Tropical Húmedo	Estribación	Subtropical	Templado	Páramo	Interandino	Oriente: Páramo	Temperado	Subtropical	Estribaciones	Tropical Húmedo
	Oreopholus ruficollis Tawny-throated Dotterel Chorlo-Cabezón Cuellicanelo			sX												
26	***LARIDAE*** GULLS AND TERNS GAVIOTAS Y GAVIOTINES															
	Larus modestus Gray Gull Gaviota Gris	ma	U	sU												
	Larus dominicanus Kelp Gull Gaviota Dominicana		R	sR												
	Larus fuscus Lesser Black-backed Gull Gaviota Dorsinegra Menor	mb		**R**												
	[*Larus argentatus* Herring Gull Gaviota Argéntea]	mb														n**R**
	Larus delawarensis Ring-billed Gull Gaviota Piquianillada	mb		**R**												
	[*Larus californicus* California Gull Gaviota de California]	mb		**R**												
	Larus atricilla Laughing Gull Gaviota Reidora	mb	R	C							R					**R**
	Larus cirrocephalus Gray-hooded Gull Gaviota Cabecigris			sU												
	Larus serranus Andean Gull Gaviota Andina									U	U	U				n**R**
	Larus pipixcan Franklin's Gull Gaviota de Franklin	mb	R	U							**R**					
	Xema sabini Sabine's Gull Gaviota de Sabine	mb	R	R												

	Species	Status	West									East				
			Ocean	Coast	Arid Tropical	Humid Tropical	Foothills	Subtropical	Temperate	Paramo	Interandean	Paramo	Temperate	Subtropical	Foothills	Humid Tropical
☐	*Creagrus furcatus* Swallow-tailed Gull Gaviota Tijereta		sU													
☐	*Sterna nilotica* Gull-billed Tern Gaviotín Piquigrueso			sC		sU										
☐	*Sterna maxima* Royal Tern Gaviotín Real	mb	R	C												
☐	*Sterna elegans* Elegant Tern Gaviotín Elegante	mb	U	U												
☐	*Sterna sandvicensis* Sandwich Tern Gaviotín de Sandwich	mb		U												
☐	*Sterna hirundinea* South American Tern Gaviotín Sudamericano	ma		s**R**												
☐	*Sterna hirundo* Common Tern Gaviotín Común	mb	U	U												n**R**
☐	*Sterna paradisaea* Arctic Tern Gaviotín del Artico	mb	U	R												
☐	*Sterna superciliaris* Yellow-billed Tern Gaviotín Amazónico															C
☐	[*Sterna antillarum* Least Tern Gaviotín Menor	mb		**R**												
☐	*Sterna lorata* Peruvian Tern Gaviotín Peruano	ma		sR												
☐	*Sterna anaethetus* Bridled Tern Gaviotín Embridado	mb	U	R												
☐	*Phaetusa simplex* Large-billed Tern Gaviotín Picudo			sX?							**R**					U

	Species	Status	Occidente: Océano	Occidente: Costa	Occidente: Tropical Arido	Occidente: Tropical Húmedo	Occidente: Estribación	Occidente: Subtropical	Occidente: Templado	Occidente: Páramo	Interandino	Oriente: Páramo	Oriente: Temperado	Oriente: Subtropical	Oriente: Estribaciones	Oriente: Tropical Húmedo
	Chlidonias niger Black Tern Gaviotín Negro	mb	sU	sU												
	Larosterna inca Inca Tern Gaviotín Inca	v		s**R**												
5	***STERCORARIIDAE*** SKUAS AND JAEGERS SALTEADORES Y PAGALOS															
	[*Catharacta chilensis* Chilean Skua Salteador Chileno]	ma	**R**													
	[*Catharacta maccormicki* South Polar Skua Salteador Polar Sur]	ma	**R**													
	Stercorarius pomarinus Pomarine Jaeger Págalo Pomarino	mb	U													
	Stercorarius parasiticus Parasitic Jaeger Págalo Parásito	mb	U													
	[*Stercorarius longicaudus* Long-tailed Jaeger Págalo Colilargo]	mb	**R**													
1	***RYNCHOPIDAE*** SKIMMERS RAYADORES															
	Rynchops nigra Black Skimmer Rayador Negro			sR	sR	sR										U
28	***COLUMBIDAE*** PIGEONS AND DOVES PALOMAS Y TORTOLAS															
	Columba livia Rock Pigeon Paloma Doméstica				U	U	U				U				U	R
	Columba fasciata Band-tailed Pigeon Paloma Collareja						U	C	C		U		U	U	U	

Species	West: Ocean	West: Coast	West: Arid Tropical	West: Humid Tropical	West: Foothills	West: Subtropical	West: Temperate	West: Paramo	Interandean	East: Paramo	East: Temperate	East: Subtropical	East: Foothills	East: Humid Tropical
Columba speciosa Scaled Pigeon Paloma Escamosa				R	R								R	R
Columba cayennensis Pale-vented Pigeon Paloma Ventripálida			U	U										C
[*Columba oenops* Marañón Pigeon Paloma de Marañón]														mR
Columba subvinacea Ruddy Pigeon Paloma Rojiza				U	U	U						U	U	U
Columba plumbea Plumbeous Pigeon Paloma Plomiza					U	U							U	U
Columba goodsoni Dusky Pigeon Paloma Oscura				nU	nU									
Zenaida auriculata Eared Dove Tórtola Orejuda			C				U		C					
Zenaida meloda West Peruvian Dove Tórtola Melódica			sU											
Columbina passerina Scaly Ground-Dove Tortolita Escamosa									U					
Columbina minuta Plain-breasted Ground-Dove Tortolita Menuda			sR	sR					s?					nR
Columbina talpacoti Ruddy Ground-Dove Tortolita Colorada														U
Columbina buckleyi Ecuadorian Ground-Dove Tortolita Ecuatoriana			U	C										
Columbina cruziana Croaking Ground-Dove Tortolita Croante			C		sC				sC					

Species	Occidente									Oriente				
	Océano	Costa	Tropical Arido	Tropical Húmedo	Estribación	Subtropical	Templado	Páramo	Interandino	Páramo	Temperado	Subtropical	Estribaciones	Tropical Húmedo
Claravis pretiosa Blue Ground-Dove Tortolita Azul				U	U								U	U
Claravis mondetoura Maroon-chested Ground-Dove Tortolita Pechimarrón					s**R**	?	n**R**				?	**R**		
Metriopelia melanoptera Black-winged Ground-Dove Tortolita Alinegra								U		U				
Leptotila ochraceiventris Ochre-bellied Dove Paloma Ventriocrácea			U	sR	sR	sR								
Leptotila verreauxi White-tipped Dove Paloma Apical			U		sU	U	U		U				mU	nR
Leptotila pallida Pallid Dove Paloma Pálida				U	U									
Leptotila rufaxilla Gray-fronted Dove Paloma Frentigris													U	U
Geotrygon saphirina Sapphire Quail-Dove Paloma-Perdiz Zafiro													R	U
Geotrygon purpurata Indigo-crowned Quail-Dove Paloma-Perdiz Corona Indigo				nR	nR									
Geotrygon veraguensis Olive-backed Quail-Dove Paloma-Perdiz Dorsioliva				nR										
Geotrygon frenata White-throated Quail-Dove Paloma-Perdiz Goliblanca					R	U	U		sU		U	U		
Geotrygon violacea Violaceous Quail-Dove Paloma-Perdiz Violácea														n**R**
Geotrygon montana Ruddy Quail-Dove Paloma-Perdiz Rojiza				U	U	R						R	U	U

	West									East				
	Ocean	Coast	Arid Tropical	Humid Tropical	Foothills	Subtropical	Temperate	Paramo	Interandean	Paramo	Temperate	Subtropical	Foothills	Humid Tropical
46 ***PSITTACIDAE*** PARROTS LOROS														
Ara ararauna Blue-and-yellow Macaw Guacamayo Azul y Amarillo														U
Ara militaris Military Macaw Guacamayo Militar												R	R	
Ara ambigua Great Green Macaw Guacamayo Verde Mayor			R	R	R									
Ara macao Scarlet Macaw Guacamayo Escarlata														U
Ara chloroptera Red-and-green Macaw Guacamayo Rojo y Verde														R
Ara severa Chestnut-fronted Macaw Guacamayo Frenticastaño				U									U	U
Orthopsittaca manilata Red-bellied Macaw Guacamayo Ventrirrojo														U
Aratinga wagleri Scarlet-fronted Parakeet Perico Frentiescarlata					s**R**	s**R**								
Aratinga erythrogenys Red-masked Parakeet Perico Caretirrojo			U	U	sU	sU								
Aratinga leucophthalmus White-eyed Parakeet Perico Ojiblanco												U	U	C
Aratinga weddellii Dusky-headed Parakeet Perico Cabecioscuro														C
Leptosittaca branickii Golden-plumed Parakeet Perico Cachetidorado											sU			

Species		Océano	Costa	Tropical Arido	Tropical Húmedo	Estribación	Subtropical	Templado	Páramo	Interandino	Páramo	Temperado	Subtropical	Estribaciones	Tropical Húmedo
		Occidente									Oriente				
Ognorhynchus icterotis Yellow-eared Parrot Loro Orejiamarillo							n**R**	n**R**							
[*Pyrrhura picta* Painted Parakeet Perico Pintado]	v?														s**R**
Pyrrhura melanura Maroon-tailed Parakeet Perico Colimarrón						nU							sU	U	C
Pyrrhura orcesi El Oro Parakeet Perico de Orcés						sU									
Pyrrhura albipectus White-breasted Parakeet Perico Pechiblanco													sU	sU	
Bolborhynchus lineola Barred Parakeet Perico Barreteado							U	U				U	U		
Forpus sclateri Dusky-billed Parrotlet Periquito Piquioscuro														U	U
Forpus xanthopterygius Blue-winged Parrotlet Periquito Aliazul														U	U
Forpus coelestis Pacific Parrotlet Periquito del Pacífico				C	sU	sU	sR								
Brotogeris pyrrhopterus Gray-cheeked Parakeet Perico Cachetigris				U	sU	sU									
Brotogeris cyanoptera Cobalt-winged Parakeet Perico Alicobáltico															C
[*Brotogeris sanctithomae* Tui Parakeet Perico Tui]	v														n**R**
Touit purpurata Sapphire-rumped Parrotlet Periquito Lomizafiro															R

Species	Status	West: Ocean	West: Coast	West: Arid Tropical	West: Humid Tropical	West: Foothills	West: Subtropical	West: Temperate	West: Paramo	Interandean	East: Paramo	East: Temperate	East: Subtropical	East: Foothills	East: Humid Tropical
Touit huetii Scarlet-shouldered Parrotlet Periquito Hombrirrojo													R	R	R
Touit dilectissima Blue-fronted Parrotlet Periquito Frentiazul					R	R	R								
Touit stictoptera Spot-winged Parrotlet Periquito Alipunteado													R	R	
Pionites melanocephala Black-headed Parrot Loro Coroninegro															C
Pionopsitta pulchra Rose-faced Parrot Loro Cachetirrosa					U	U									
Pionopsitta barrabandi Orange-cheeked Parrot Loro Cachetinaranja															U
[*Pionopsitta pyrilia* Saffron-headed Parrot Loro Cabeciazafrán]	v?				n**R**										
[*Hapalopsittaca amazonina* Rusty-faced Parrot Loro Carirrojizo]	v?											n**R**			
Hapalopsittaca pyrrhops Red-faced Parrot Loro Carirrojo												sU			
Graydidasculus brachyurus Short-tailed Parrot Loro Colicorto															nR
Pionus menstruus Blue-headed Parrot Loro Cabeciazul					U	R								U	C
Pionus sordidus Red-billed Parrot Loro Piquirrojo						U	U						U	U	
Pionus seniloides White-capped Parrot Loro Gorriblanco							U	U	R		R	U	U		

Species	Status	Occidente								Interandino	Oriente				
		Océano	Costa	Tropical Arido	Tropical Húmedo	Estribación	Subtropical	Templado	Páramo		Páramo	Temperado	Subtropical	Estribaciones	Tropical Húmedo
Pionus chalcopterus Bronze-winged Parrot Loro Alibronceado				U	U	U									
Amazona autumnalis Red-lored Amazon Amazona Frentirroja				R	R										
Amazona festiva Festive Amazon Amazona Festiva															nU
Amazona ochrocephala Yellow-crowned Amazon Amazona Coroniamarilla															U
Amazona amazonica Orange-winged Amazon Amazona Alinaranja															U
Amazona mercenaria Scaly-naped Amazon Amazona Nuquiescamosa							U	U				U	U		
Amazona farinosa Mealy Amazon Amazona Harinosa					U										U
Deroptyus accipitrinus Red-fan Parrot Loro de Abanico															s**R**

17 ***CUCULIDAE***
CUCKOOS AND ANIS
CUCLILLOS Y GARRAPATEROS

Species	Status	Océano	Costa	Tropical Arido	Tropical Húmedo	Estribación	Subtropical	Templado	Páramo	Interandino	Páramo	Temperado	Subtropical	Estribaciones	Tropical Húmedo
Coccyzus erythropthalmus Black-billed Cuckoo Cuclillo Piquinegro	mb			U	U					nR	R				R
Coccyzus americanus Yellow-billed Cuckoo Cuclillo Piquiamarillo	mb			**R**						n**R**					**R**
Coccyzus euleri Pearly-breasted Cuckoo Cuclillo Pechiperlado	v				R	R									R
Coccyzus melacoryphus Dark-billed Cuckoo Cuclillo Piquioscuro	r ma		U	sU U	U	sU U			nR						U

Species	West									East				
	Ocean	Coast	Arid Tropical	Humid Tropical	Foothills	Subtropical	Temperate	Paramo	Interandean	Paramo	Temperate	Subtropical	Foothills	Humid Tropical
Coccyzus lansbergi Gray-capped Cuckoo Cuclillo Cabecigris			U	R	R							**R**		
Piaya cayana Squirrel Cuckoo Cuco Ardilla			U	C	C	U						U	U	U
Piaya melanogaster Black-bellied Cuckoo Cuco Ventrinegro														R
Piaya minuta Little Cuckoo Cuco Menudo				U	U									U
Crotophaga major Greater Ani Garrapatero Mayor				sR									U	C
Crotophaga ani Smooth-billed Ani Garrapatero Piquiliso			R	C	C	U			nU				C	C
Crotophaga sulcirostris Groove-billed Ani Garrapatero Piquiestriado			C	R	U	sU								
Tapera naevia Striped Cuckoo Cuclillo Listado			U	U	U				sR				mR	sR
Dromococcyx phasianellus Pheasant Cuckoo Cuco Faisán														R
Dromococcyx pavoninus Pavonine Cuckoo Cuco Pavonino														**R**
Neomorphus geoffroyi Rufous-vented Ground-Cuckoo Cuco-Hormiguero Ventrirrufo														R
[*Neomorphus pucheranii* Red-billed Ground-Cuckoo Cuco-Hormiguero Piquirrojo]														n**R**
Neomorphus radiolosus Banded Ground-Cuckoo Cuco-Hormiguero Franjeado				n**R**	n**R**									

	Especie		Occidente: Océano	Occidente: Costa	Occidente: Tropical Arido	Occidente: Tropical Húmedo	Occidente: Estribación	Occidente: Subtropical	Occidente: Templado	Occidente: Páramo	Interandino	Oriente: Páramo	Oriente: Temperado	Oriente: Subtropical	Oriente: Estribaciones	Oriente: Tropical Húmedo
1	***OPISTHOCOMIDAE*** HOATZIN HOAZIN															
	Opisthocomus hoazin Hoatzin Hoazín															C
1	***TYTONIDAE*** BARN OWLS LECHUZAS DE CAMPANARIO															
	Tyto alba Barn Owl Lechuza Campanaria				U	U	U	U	U		U		U	U	U	R
26	***STRIGIDAE*** TYPICAL OWLS BUHOS															
	Otus guatemalae Middle American Screech-Owl Autillo Mesoamericano													U	U	
	Otus vermiculatus Vermiculated Screech-Owl Autillo Vermiculado					U	U									
	Otus choliba Tropical Screech-Owl Autillo Tropical														R	U
	Otus roboratus West Peruvian Screech-Owl Autillo Roborado				U		sU									
	Otus ingens Rufescent Screech-Owl Autillo Rojizo						nU	nU						U	U	
	Otus huberi Cloud-forest Screech-Owl Autillo de Bosque Nublado													sU		
	Otus watsonii Tawny-bellied Screech-Owl Autillo Ventrileonado														R	C
	Otus albogularis White-throated Screech-Owl Autillo Goliblanco							U	U				U	U		

Species	West: Ocean	West: Coast	West: Arid Tropical	West: Humid Tropical	West: Foothills	West: Subtropical	West: Temperate	West: Paramo	Interandean	East: Paramo	East: Temperate	East: Subtropical	East: Foothills	East: Humid Tropical
Lophostrix cristata Crested Owl Búho Penachudo				U										U
Bubo virginianus Great Horned Owl Búho Coronado Americano							U	U		U	U			
Pulsatrix perspicillata Spectacled Owl Búho de Anteojos			R	U	U									U
Pulsatrix melanota Band-bellied Owl Búho Ventribandeado													U	
Glaucidium jardinii Andean Pygmy-Owl Mochuelo Andino						U	U				U	U		
Glaucidium griseiceps Central American Pygmy-Owl Mochuelo Cabecigris				n**R**										
Glaucidium parkeri Subtropical Pygmy-Owl Mochuelo Subtropical												**R**		
Glaucidium brasilianum Ferruginous Pygmy-Owl Mochuelo Ferruginoso														U
Glaucidium peruanum Pacific Pygmy-Owl Mochuelo del Pacífico			C		sU	sU								
Speotyto cunicularia Burrowing Owl Búho Terrestre			sU						U					
Strix nigrolineata Black-and-white Owl Búho Blanco y Negro				U	R									
Strix huhula Black-banded Owl Búho Negribandeado														U
Strix virgata Mottled Owl Búho Moteado				U	U	U								R

		Occidente								Oriente					
		Océano	Costa	Tropical Arido	Tropical Húmedo	Estribación	Subtropical	Templado	Páramo	Interandino	Páramo	Temperado	Subtropical	Estribaciones	Tropical Húmedo
Strix albitarsus Rufous-banded Owl Búho Rufibandeado							nU	nU				U	U		
Asio clamator Striped Owl Búho Listado				U											nR
Asio stygius Stygian Owl Búho Estigio								R		U		R			
Asio flammeus Short-eared Owl Búho Orejicorto									U	R	U				
Aegolius harrisii Buff-fronted Owl Buhito Frentianteado								n**R**				**R**			
1 ***STEATORNITHIDAE*** OILBIRDS GUACHAROS															
Steatornis caripensis Oilbird Guácharo						nU	nU			U			U	U	nR
5 ***NYCTIBIIDAE*** POTOOS NICTIBIOS															
Nyctibius grandis Great Potoo Nictibio Grande															U
Nyctibius aethereus Long-tailed Potoo Nictibio Colilargo															R
Nyctibius griseus Common Potoo Nictibio Común					C	U	U							U	C
Nyctibius maculosus Andean Potoo Nictibio Andino													**R**		
Nyctibius bracteatus Rufous Potoo Nictibio Rufo															**R**

19 *CAPRIMULGIDAE*

NIGHTHAWKS AND NIGHTJARS

AÑAPEROS Y CHOTACABRAS

Species		West: Ocean	West: Coast	West: Arid Tropical	West: Humid Tropical	West: Foothills	West: Subtropical	West: Temperate	West: Paramo	Interandean	East: Paramo	East: Temperate	East: Subtropical	East: Foothills	East: Humid Tropical
Lurocalis semitorquatus Short-tailed Nighthawk Añapero Colicorto					U	R								nR	nU
Lurocalis rufiventris Rufous-bellied Nighthawk Añapero Ventrirrufo							nU	nU				nU	U		
Chordeiles rupestris Sand-colored Nighthawk Añapero Arenisco															U
Chordeiles acutipennis Lesser Nighthawk Añapero Menor				U						nU					n?
Chordeiles minor Common Nighthawk Añapero Común	mb			R	R	R				nU					U
Nyctiprogne leucopyga Band-tailed Nighthawk Añapero Colibandeado															nR
Podager nacunda Nacunda Nighthawk Añapero Nacunda	ma														nR
Nyctidromus albicollis Pauraque Pauraque					C	C	sC							C	C
Nyctiphrynus ocellatus Ocellated Poorwill Chotacabras Ocelado															R
Nyctiphrynus rosenbergi Chocó Poorwill Chotacabras del Chocó					nR										
Caprimulgus longirostris Band-winged Nightjar Chotacabras Alifajeado							U	U	U	U	U	U	U		
Caprimulgus rufus Rufous Nightjar Chotacabras Rufo														mU	

	Species		Occidente: Océano	Occidente: Costa	Occidente: Tropical Arido	Occidente: Tropical Húmedo	Occidente: Estribación	Occidente: Subtropical	Occidente: Templado	Occidente: Páramo	Interandino	Oriente: Páramo	Oriente: Temperado	Oriente: Subtropical	Oriente: Estribaciones	Oriente: Tropical Húmedo
	Caprimulgus cayennensis White-tailed Nighjar Chotacabras Coliblanco										nU					
	Caprimulgus anthonyi Anthony's Nightjar Chotacabras de Anthony			sU	U											
	Caprimulgus maculicaudus Spot-tailed Nightjar Chotacabras Colipunteado	v?														n**R**
	Caprimulgus nigrescens Blackish Nightjar Chotacabras Negruzco														U	U
	Hydropsalis climacocerca Ladder-tailed Nightjar Chotacabras Coliescalera														R	C
	Uropsalis segmentata Swallow-tailed Nightjar Chotacabras Tijereta								nR				R	nR		
	Uropsalis lyra Lyre-tailed Nightjar Chotacabras Colilira						nU	nU						U	U	
14	***APODIDAE*** SWIFTS VENCEJOS															
	Streptoprocne zonaris White-collared Swift Vencejo Cuelliblanco				R	U	C	C	C	C	C	C	C	C	C	
	Streptoprocne rutilus Chestnut-collared Swift Vencejo Cuellicastaño					R	U	U			U			U	U	R
	Cypseloides cryptus White-chinned Swift Vencejo Barbiblanco					**R**	**R**								**R**	**R**
	Cypseloides cherriei Spot-fronted Swift Vencejo Frentipunteado							**R**						?		
	[*Cypseloides lemosi* White-chested Swift Vencejo Pechiblanco]	v?												**R**	**R**	n**R**

	Species	Status	West: Ocean	West: Coast	West: Arid Tropical	West: Humid Tropical	West: Foothills	West: Subtropical	West: Temperate	West: Paramo	Interandean	East: Paramo	East: Temperate	East: Subtropical	East: Foothills	East: Humid Tropical
	Chaetura pelagica Chimney Swift Vencejo de Chimenea	mb			U	U	?	?					U	?	U	U
	Chaetura brachyura Short-tailed Swift Vencejo Colicorto				sU		sU									C
	Chaetura spinicauda Band-rumped Swift Vencejo Lomifajeado					nU	U	U								
	Chaetura cinereiventris Gray-rumped Swift Vencejo Lomigris					U	U	U						U	U	U
	Chaetura egregia Pale-rumped Swift Vencejo Lomipálido														R	R
	[*Chaetura chapmani* Chapman's Swift Vencejo de Chapman]	v?														**R**
	Aeronautes montivagus White-tipped Swift Vencejo Alipunteado						sR	U			U			U	R	
	Panyptila cayennensis Lesser Swallow-tailed Swift Vencejo Tijereta Menor				U	U	nU									U
	Tachornis squamata Neotropical Palm-Swift Vencejo de Morete														sR	C
131	***TROCHILIDAE*** HUMMINGBIRDS COLIBRIES															
	Glaucis aenea Bronzy Hermit Ermitaño Bronceado					nU										
	Glaucis hirsuta Rufous-breasted Hermit Ermitaño Pechicanelo														U	U
	Threnetes leucurus Pale-tailed Barbthroat Barbita Colipálida													sR	U	C

Especie		Occidente: Océano	Costa	Tropical Arido	Tropical Húmedo	Estribación	Subtropical	Templado	Páramo	Interandino	Oriente: Páramo	Temperado	Subtropical	Estribaciones	Tropical Húmedo
Threnetes ruckeri Band-tailed Barbthroat Barbita Colibandeada					U	U									
Phaethornis yaruqui White-whiskered Hermit Ermitaño Bigotiblanco					C	C									
Phaethornis guy Green Hermit Ermitaño Verde													U	C	
Phaethornis syrmatophorus Tawny-bellied Hermit Ermitaño Ventrileonado						U	U						U	U	
Phaethornis malaris Great-bellied Hermit Ermitaño Piquigrande														C	C
Phaethornis baroni Baron's Hermit Ermitaño de Barón				C	C	U	sU								
Phaethornis hispidus White-bearded Hermit Ermitaño Barbiblanco															U
Phaethornis bourcieri Straight-billed Hermit Ermitaño Piquirrecto															U
Phaethornis ruber Reddish Hermit Ermitaño Rojizo															R
Phaethornis griseogularis Gray-chinned Hermit Ermitaño Barbigris						sR							U	U	
Phaethornis atrimentalis Black-throated Hermit Ermitaño Golinegro															U
Phaethornis striigularis Stripe-throated Hermit Ermitaño Golirayado					U	nR									
Androdon aequatorialis Tooth-billed Hummingbird Colibrí Piquidentado						nR	nR								

Species		West								East					
		Ocean	Coast	Arid Tropical	Humid Tropical	Foothills	Subtropical	Temperate	Paramo	Interandean	Paramo	Temperate	Subtropical	Foothills	Humid Tropical
Eutoxeres aquila White-tipped Sicklebill Pico-de-Hoz Puntiblanco					U	U	U						U	U	
Eutoxeres condamini Buff-tailed Sicklebill Pico-de-Hoz Colihabano														U	U
Doryfera johannae Blue-fronted Lancebill Picolanza Frentiazul													U	U	
Doryfera ludovicae Green-fronted Lancebill Picolanza Frentiverde						nU	nU						U	U	
Campylopterus largipennis Gray-breasted Sabrewing Alasable Pechigris															U
Campylopterus falcatus Lazuline Sabrewing Alasable Lazulita													n**R**		
Campylopterus villaviscensio Napo Sabrewing Alasable del Napo													U	U	
Florisuga mellivora White-necked Jacobin Jacobino Nuquiblanco					U	U									
Colibri delphinae Brown Violet-ear Orejivioleta Parda						nU	nR						R	R	
Colibri thalassinus Green Violet-ear Orejivioleta Verde						U	U						U	U	
Colibri coruscans Sparkling Violet-ear Orejivioleta Ventriazul						U	C	C		C		C	C	U	
Anthracothorax nigricollis Black-throated Mango Mango Gorjinegro				U	sU	sU								R	R
Avocettula recurvirostris Fiery-tailed Awlbill Colibrí Piquipunzón															**R**

Species		Occidente: Océano	Costa	Tropical Arido	Tropical Húmedo	Estribación	Subtropical	Templado	Páramo	Interandino	Oriente: Páramo	Temperado	Subtropical	Estribaciones	Tropical Húmedo
Klais guimeti Violet-headed Hummingbird Colibrí Cabecivioleta													U	U	
Lophornis stictolophus Spangled Coquette Coqueta Lentejuelada														R	R
Lophornis delatrii Rufous-crested Coquette Coqueta Crestirrufa															nR
Lophornis chalybeus Festive Coquette Coqueta Festiva															R
Popelairia popelairii Wire-crested Thorntail Colicerda Crestuda													U	U	
Popelairia langsdorffi Black-bellied Thorntail Colicerda Ventrinegra															R
Popelairia conversii Green Thorntail Colicerda Verde					U	R									
Chlorestes notatus Blue-chinned Sapphire Zafiro Barbiazul															R
Chlorostilbon mellisugus Blue-tailed Emerald Esmeralda Coliazul												sR	sU	sU	U
Chlorostilbon melanorhynchus Western Emerald Esmeralda Occidental						U	U			nC					
Thalurania furcata Fork-tailed Woodnymph Ninfa Tijereta													U	U	U
Thalurania fannyi Green-crowned Woodnymph Ninfa Coroniverde					nU	nU									
Thalurania hypochlora Emerald-bellied Woodnymph Ninfa Ventriesmeralda					sU	sU									

			West									East				
			Ocean	Coast	Arid Tropical	Humid Tropical	Foothills	Subtropical	Temperate	Paramo	Interandean	Paramo	Temperate	Subtropical	Foothills	Humid Tropical
	Damophila julie Violet-bellied Hummingbird Colibrí Ventrivioleta				U	U	U									
	Hylocharis sapphirina Rufous-throated Sapphire Zafiro Barbirrufo															**R**
	Hylocharis cyanus White-chinned Sapphire Zafiro Barbiblanco															**R**
	Hylocharis grayi Blue-headed Sapphire Zafiro Cabeciazul										nR					
	Hylocharis humboldti Humboldt's Sapphire Zafiro de Humboldt			n**R**		n**R**										
	Chrysuronia oenone Golden-tailed Sapphire Zafiro Colidorado													U	C	R
	Polytmus theresiae Green-tailed Goldenthroat Gorjioro Coliverde	v?														s**R**
	Leucippus chlorocercus Olive-spotted Hummingbird Colibrí Olivipunteado															nU
	Leucippus baeri Tumbes Hummingbird Colibrí de Tumbes				sU											
	Taphrospilus hypostictus Many-spotted Hummingbird Colibrí Multipunteado														U	
	Amazilia fimbriata Glittering-throated Emerald Amazilia Gorjibrillante														U	C
	[*Amazilia lactea* Sapphire-spangled Emerald Amazilia Pechizafiro]	v?														**R**
	Amazilia amabilis Blue-chested Hummingbird Amazilia Pechiazul					U	sR									

Species		Occidente: Océano	Costa	Tropical Arido	Tropical Húmedo	Estribación	Subtropical	Templado	Páramo	Interandino	Oriente: Páramo	Temperado	Subtropical	Estribaciones	Tropical Húmedo
Amazilia rosenbergi Purple-chested Hummingbird Amazilia Pechimorada					nU										
Amazilia franciae Andean Emerald Amazilia Andina					U	U	nR							sU	
Amazilia amazilia Amazilia Hummingbird Amazilia Ventrirrufa				C		sU				sU				sR	
Amazilia tzacatl Rufous-tailed Hummingbird Amazilia Colirrufa				U	C	C	nU			nU					
Chalybura buffonii White-vented Plumeleteer Calzonario de Buffón						sR	sR								
Chalybura urochrysia Bronze-tailed Plumeleteer Calzonario Patirrojo					nC	nC									
Adelomyia melanogenys Speckled Hummingbird Colibrí Jaspeado						U	C	C				C	C		
Urosticte ruficrissa Rufous-vented Whitetip Puntiblanca Pechiverde													R	R	
Urosticte benjamini Purple-bibbed Whitetip Puntiblanca Pechipúrpura						R	R								
Phlogophilus hemileucurus Ecuadorian Piedtail Colipinto Ecuatoriano														U	
Heliodoxa imperatrix Empress Brilliant Brillante Emperatriz						nR	nR								
Heliodoxa gularis Pink-throated Brilliant Brillante Gorjirrosado														nR	
Heliodoxa schreibersii Black-throated Brilliant Brillante Gorjinegro														R	R

Species		West: Ocean	West: Coast	West: Arid Tropical	West: Humid Tropical	West: Foothills	West: Subtropical	West: Temperate	West: Paramo	Interandean	East: Paramo	East: Temperate	East: Subtropical	East: Foothills	East: Humid Tropical
☐ *Heliodoxa aurescens* Gould's Jewelfront Brillante Frentijoya															R
☐ *Heliodoxa rubinoides* Fawn-breasted Brilliant Brillante Pechianteado						R	R						R	R	
☐ *Heliodoxa jacula* Green-crowned Brilliant Brillante Coroniverde					R	U	U								
☐ *Heliodoxa leadbeateri* Violet-fronted Brilliant Brillante Frentivioleta													U	U	
☐ *Topaza pyra* Fiery Topaz Topacio Fuego															R
☐ *Oreotrochilus estella* Andean Hillstar Estrella Andina											sU				
☐ *Oreotrochilus chimborazo* Ecuadorian Hillstar Estrella Ecuatoriana									U		U				
☐ *Urochroa bougueri* White-tailed Hillstar Estrella Coliblanca						nU	nR						U	U	
☐ *Patagona gigas* Giant Hummingbird Colibrí Gigante										U					
☐ *Aglaeactis cupripennis* Shining Sunbeam Rayito Brillante								C	C		C	C			
☐ *Lafresnaya lafresnayi* Mountain Velvetbreast Colibrí Terciopelo								U				U			
☐ *Pterophanes cyanopterus* Great Sapphirewing Alizafiro Grande								U	R		R	U			
☐ *Coeligena coeligena* Bronzy Inca Inca Bronceado													C		

Especie		Océano	Costa	Tropical Arido	Tropical Húmedo	Estribación	Subtropical	Templado	Páramo	Interandino	Páramo	Temperado	Subtropical	Estribaciones	Tropical Húmedo
		Occidente									Oriente				
Coeligena wilsoni Brown Inca Inca Pardo						U	U								
Coeligena torquata Collared Inca Inca Collarejo							C	C				C	C		
Coeligena lutetiae Buff-winged Starfrontlet Frentiestrella Alianteada								nU				U			
Coeligena iris Rainbow Starfrontlet Frentiestrella Arcoiris								sC		sC					
Ensifera ensifera Sword-billed Hummingbird Colibrí Pico Espada								U		U		U			
Boissonneaua flavescens Buff-tailed Coronet Coronita Colianteada							nU						nU		
Boissonneaua matthewsii Chestnut-breasted Coronet Coronita Pechicastaña							sU						U		
Boissonneaua jardini Velvet-purple Coronet Coronita Aterciopelada						nR	nR								
Heliangelus amethysticollis Amethyst-throated Sunangel Solángel Gorjiamatista													sU		
Heliangelus strophianus Gorgeted Sunangel Solángel de Gorguera						sR	U	R							
Heliangelus exortis Tourmaline Sunangel Solángel Turmalino												nU	nU		
Heliangelus micraster Flame-throated Sunangel Solángel Gorjidorada												sU			
Heliangelus viola Purple-throated Sunangel Solángel Gorjipúrpura							sU	sC		sC					

Species		West: Ocean	West: Coast	West: Arid Tropical	West: Humid Tropical	West: Foothills	West: Subtropical	West: Temperate	West: Paramo	Interandean	East: Paramo	East: Temperate	East: Subtropical	East: Foothills	East: Humid Tropical
Eriocnemis nigrivestis Black-breasted Puffleg Zamarrito Pechinegro								n**R**							
Eriocnemis vestitus Glowing Puffleg Zamarrito Luciente												U			
Eriocnemis godini Turquoise-throated Puffleg Zamarrito Gorjiturquesa										n**R**					
Eriocnemis luciani Sapphire-vented Puffleg Zamarrito Colilargo								C		U		C			
Eriocnemis mosquera Golden-breasted Puffleg Zamarrito Pechidorado								nU				U			
Eriocnemis alinae Emerald-bellied Puffleg Zamarrito Pechiblanco													**R**		
Eriocnemis derbyi Black-thighed Puffleg Zamarrito Muslinegro								nR				nU			
Haplophaedia aureliae Greenish Puffleg Zamarrito Verdoso													U		
Haplophaedia lugens Hoary Puffleg Zamarrito Canoso							nU								
Ocreatus underwoodii Booted Racket-tail Colaespátula Zamarrito						U	U						U	U	
Lesbia victoriae Black-tailed Trainbearer Colacintillo Colinegro								U	U	C	U	U			
Lesbia nuna Green-tailed Trainbearer Colacintillo Coliverde							U	U		C		U	U		
Ramphomicron microrhynchum Purple-backed Thornbill Picoespina Dorsipúrpura								U				U			

	Occidente									Oriente				
Especie	Océano	Costa	Tropical Arido	Tropical Húmedo	Estribación	Subtropical	Templado	Páramo	Interandino	Páramo	Temperado	Subtropical	Estribaciones	Tropical Húmedo
Metallura baroni Violet-throated Metaltail Metalura Gorjivioleta						sR	sU	sU						
Metallura williami Viridian Metaltail Metalura Verde											U			
Metallura odomae Neblina Metaltail Metalura Neblina										sU	sU			
Metallura tyrianthina Tyrian Metaltail Metalura Tiria					C	C			C		C	C		
Chalcostigma ruficeps Rufous-capped Thornbill Picoespina Gorrirrufa											sR	sR		
Chalcostigma stanleyi Blue-mantled Thornbill Picoespina Dorsiazul								U		U				
Chalcostigma herrani Rainbow-bearded Thornbill Picoespina Arcoiris							U				U			
Opisthoprora euryptera Mountain Avocetbill Piquiavoceta											R			
Aglaiocercus kingi Long-tailed Sylph Silfo Colilargo						nU	nU				U	U		
Aglaiocercus coelestis Violet-tailed Sylph Silfo Colivioleta					U	U								
Schistes geoffroyi Wedge-billed Hummingbird Colibrí Piquicuña					R	R						R	R	
Heliothryx barroti Purple-crowned Fairy Hada Coronipúrpura				U	U									
Heliothryx aurita Black-eared Fairy Hada Orejinegra													U	U

☐	Species		West									East				
			Ocean	Coast	Arid Tropical	Humid Tropical	Foothills	Subtropical	Temperate	Paramo	Interandean	Paramo	Temperate	Subtropical	Foothills	Humid Tropical
☐	*Heliomaster longirostris* Long-billed Starthroat Heliomaster Piquilargo				U	U	sU	sU							sU	U
☐	[*Heliomaster furcifer* Blue-tufted Starthroat Heliomaster Barbado]	v?														n**R**
☐	[*Thaumastura cora* Peruvian Sheartail Colifina Peruana]	v?						s**R**								
☐	*Calliphlox mitchellii* Purple-throated Woodstar Estrellita Gorjipúrpura						U	U								
☐	*Calliphlox amethystina* Amethyst Woodstar Estrellita Amatista														R	R
☐	*Myrtis fanny* Purple-collared Woodstar Estrellita Gargantillada										U			sU	sU	
☐	*Myrmia micrura* Short-tailed Woodstar Estrellita Colicorta				sC											
☐	*Acestrura mulsant* White-bellied Woodstar Estrellita Ventriblanca						R	U	U		U		U	U		
☐	*Acestrura bombus* Little Woodstar Estrellita Chica				R	R	R								s**R**	
☐	*Acestrura heliodor* Gorgeted Woodstar Estrellita de Gorguera						R	R						R	R	
☐	*Acestrura berlepschi* Esmeraldas Woodstar Estrellita Esmeraldeña					n**R**										

12 ***TROGONIDAE***
TROGONS AND QUETZALS
TROGONES Y QUETZALES

☐	Species		Ocean	Coast	Arid Tropical	Humid Tropical	Foothills	Subtropical	Temperate	Paramo	Interandean	Paramo	Temperate	Subtropical	Foothills	Humid Tropical
☐	*Pharomachrus antisianus* Crested Quetzal Quetzal Crestado						R	U	U				U	U	R	

Species	Occidente: Océano	Occidente: Costa	Occidente: Tropical Arido	Occidente: Tropical Húmedo	Occidente: Estribación	Occidente: Subtropical	Occidente: Templado	Occidente: Páramo	Interandino	Oriente: Páramo	Oriente: Temperado	Oriente: Subtropical	Oriente: Estribaciones	Oriente: Tropical Húmedo
Pharomachrus auriceps Golden-headed Quetzal Quetzal Cabecidorado					U	U	U				U	U	U	
Pharomachrus pavoninus Pavonine Quetzal Quetzal Pavonino														R
Trogon massena Slaty-tailed Trogon Trogón Colipizarro				nR										
Trogon comptus White-eyed Trogon Trogón Ojiblanco				nU	nU									
Trogon melanurus Black-tailed Trogon Trogón Colinegro			U	U	sU	sU								U
Trogon viridis White-tailed Trogon Trogón Coliblanco				U									R	U
Trogon collaris Collared Trogon Trogón Collarejo			U	U	U								U	U
Trogon personatus Masked Trogon Trogón Enmascarado					U	U	U				U	U		
Trogon rufus Black-throated Trogon Trogón Golinegro				nU	nU									U
Trogon curucui Blue-crowned Trogon Trogón Coroniazul													U	U
Trogon violaceus Violaceous Trogon Trogón Violáceo			U	U										U

6 ***ALCEDINIDAE***
KINGFISHERS
MARTINES PESCADORES

Species	Occidente: Océano	Occidente: Costa	Occidente: Tropical Arido	Occidente: Tropical Húmedo	Occidente: Estribación	Occidente: Subtropical	Occidente: Templado	Occidente: Páramo	Interandino	Oriente: Páramo	Oriente: Temperado	Oriente: Subtropical	Oriente: Estribaciones	Oriente: Tropical Húmedo
Megaceryle torquata Ringed Kingfisher Martín Pescador Grande		U		C	U								U	C

	Species		West: Ocean	West: Coast	West: Arid Tropical	West: Humid Tropical	West: Foothills	West: Subtropical	West: Temperate	West: Paramo	Interandean	East: Paramo	East: Temperate	East: Subtropical	East: Foothills	East: Humid Tropical
	Ceryle alcyon Belted Kingfisher Martín Pescador Norteño	mb		**R**												
	Chloroceryle amazona Amazon Kingfisher Martín Pescador Amazónico														sU	U
	Chloroceryle americana Green Kingfisher Martín Pescador Verde			U		U	R								R	U
	Chloroceryle inda Green-and-rufous Kingfisher Martín Pescador Verdirrufo					nR										U
	Chloroceryle aenea American Pygmy Kingfisher Martín Pescador Pigmeo					U	nR									U
4	***MOMOTIDAE*** MOTMOTS MOMOTOS															
	Electron platyrhynchum Broad-billed Motmot Momoto Piquiancho					U	U	nU							U	U
	Baryphthengus martii Rufous Motmot Momoto Rufo					U	U								U	U
	Momotus momota Blue-crowned Motmot Momoto Coroniazul				C	U	sU									U
	Momotus aequatorialis Highland Motmot Momoto Montañero													U	U	
9	***GALBULIDAE*** JACAMARS JACAMARES															
	Galbalcyrhynchus leucotis White-eared Jacamar Jacamar Orejiblanco															C
	Brachygalba lugubris Brown Jacamar Jacamar Pardo															U

	Occidente									Oriente				
	Océano	Costa	Tropical Arido	Tropical Húmedo	Estribación	Subtropical	Templado	Páramo	Interandino	Páramo	Temperado	Subtropical	Estribaciones	Tropical Húmedo
Galbula albirostris Yellow-billed Jacamar Jacamar Piquiamarillo														U
Galbula tombacea White-chinned Jacamar Jacamar Barbiblanco														nU
Galbula pastazae Coppery-chested Jacamar Jacamar Pechicobrizo												U	U	
Galbula ruficauda Rufous-tailed Jacamar Jacamar Colirrufo				nU	nU									
Galbula chalcothorax Purplish Jacamar Jacamar Purpúreo													nR	U
Galbula dea Paradise Jacamar Jacamar Paraíso														R
Jacamerops aurea Great Jacamar Jacamar Grande				nR									sR	U
19 ***BUCCONIDAE*** PUFFBIRDS BUCOS														
Notharchus macrorhynchos White-necked Puffbird Buco Cuelliblanco				U										U
Notharchus pectoralis Black-breasted Puffbird Buco Pechinegro				nR										
Notharchus tectus Pied Puffbird Buco Pinto				U										R
Bucco macrodactylus Chestnut-capped Puffbird Buco Gorricastaño														U
Bucco tamatia Spotted Puffbird Buco Moteado														sR

	West									East				
	Ocean	Coast	Arid Tropical	Humid Tropical	Foothills	Subtropical	Temperate	Paramo	Interandean	Paramo	Temperate	Subtropical	Foothills	Humid Tropical
Bucco capensis Collared Puffbird Buco Collarejo												sR	sR	R
Nystalus radiatus Barred Puffbird Buco Barreteado				U	U									
Nystalus striolatus Striolated Puffbird Buco Estriolado												R	R	
Malacoptila fusca White-chested Puffbird Buco Pechiblanco													U	U
Malacoptila fulvogularis Black-streaked Puffbird Buco Negrilistado												R	R	
Malacoptila panamensis White-whiskered Puffbird Buco Bigotiblanco				U	U									
Micromonacha lanceolata Lanceolated Monklet Monjecito Lanceolado				R	R								R	R
Nonnula brunnea Brown Nunlet Nonula Parda														R
Nonnula rubecula Rusty-breasted Nunlet Nonula Pechirrojiza														n**R**
Hapaloptila castanea White-faced Nunbird Monja Cariblanca						n**R**						n**R**		
Monasa nigrifrons Black-fronted Nunbird Monja Frentinegra														C
Monasa morphoeus White-fronted Nunbird Monja Frentiblanca													U	U
Monasa flavirostris Yellow-billed Nunbird Monja Piquiamarilla														U

	Occidente									Oriente				
	Océano	Costa	Tropical Arido	Tropical Húmedo	Estribación	Subtropical	Templado	Páramo	Interandino	Páramo	Temperado	Subtropical	Estribaciones	Tropical Húmedo
Chelidoptera tenebrosa Swallow-wing Buco Golondrina														C
7 ***CAPITONIDAE*** NEW WORLD BARBETS BARBUDOS DEL NUEVO MUNDO														
Capito aurovirens Scarlet-crowned Barbet Barbudo Coronirrojo														C
Capito squamatus Orange-fronted Barbet Barbudo Frentinaranja				C	nU									
Capito quinticolor Five-colored Barbet Barbudo Cinco Colores				nR										
Capito auratus Gilded Barbet Barbudo Filigrana												U	C	C
Eubucco richardsoni Lemon-throated Barbet Barbudo Golilimón													U	U
Eubucco bourcierii Red-headed Barbet Barbudo Cabecirrojo				U	U	U						U	U	
Semnornis ramphastinus Toucan Barbet Barbudo Tucán						nU								
19 ***RAMPHASTIDAE*** TOUCANS TUCANES														
Aulacorhynchus derbianus Chestnut-tipped Toucanet Tucanete Filicastaño												R	R	
Aulacorhynchus prasinus Emerald Toucanet Tucanete Esmeralda												U		
Aulacorhynchus haematopygus Crimson-rumped Toucanet Tucanete Lomirrojo				U	U	U	sR					n?		

Species		West									East				
		Ocean	Coast	Arid Tropical	Humid Tropical	Foothills	Subtropical	Temperate	Paramo	Interandean	Paramo	Temperate	Subtropical	Foothills	Humid Tropical
Pteroglossus sanguineus Stripe-billed Araçari Arasari Piquirrayado					nC	nC									
Pteroglossus erythropygius Pale-mandibled Araçari Arasari Piquipálido					C	C									
Pteroglossus castanotis Chestnut-eared Araçari Arasari Orejicastaño														U	U
Pteroglossus pluricinctus Many-banded Araçari Arasari Bifajeado														U	C
Pteroglossus inscriptus Lettered Araçari Arasari Letreado															C
Pteroglossus azara Ivory-billed Araçari Arasari Piquimarfil														R	U
Selenidera spectabilis Yellow-eared Toucanet Tucancillo Orejiamarillo					n**R**										
Selenidera reinwardtii Golden-collared Toucanet Tucancillo Collaridorado														U	U
Andigena laminirostris Plate-billed Mountain-Toucan Tucán-Andino Piquilaminado							nC	nU							
Andigena hypoglauca Gray-breasted Mountain-Toucan Tucán-Andino Pechigrís										sU		U			
Andigena nigrirostris Black-billed Mountain-Toucan Tucán-Andino Piquinegro													R		
Ramphastos vitellinus Channel-billed Toucan Tucán Piquiacanalado														U	C
Ramphastos brevis Chocó Toucan Tucán del Chocó					U	U									

Species		Océano	Costa	Tropical Arido	Tropical Húmedo	Estribación	Subtropical	Templado	Páramo	Interandino	Páramo	Temperado	Subtropical	Estribaciones	Tropical Húmedo
		Occidente									Oriente				
Ramphastos swainsonii Chestnut-mandibled Toucan Tucán de Swainson					U	U									
Ramphastos ambiguus Black-mandibled Toucan Tucán Mandíbula Negra													R	R	
Ramphastos tucanus White-throated Toucan Tucán Goliblanco														U	C
35 ***PICIDAE*** WOODPECKERS CARPINTEROS															
Picumnus rufiventris Rufous-breasted Piculet Picolete Pechirrufo													R	R	R
[*Picumnus castelnau* Plain-breasted Piculet Picolete Pechillano]															?
Picumnus olivaceus Olivaceous Piculet Picolete Oliváceo					U	U									
Picumnus lafresnayi Lafresnaye's Piculet Picolete de Lafresnaye														U	U
Picumnus sclateri Ecuadorian Piculet Picolete Ecuatoriano				U		sU									
Colaptes rupicola Andean Flicker Picatierra Andino												s**R**			
Colaptes punctigula Spot-breasted Woodpecker Carpintero Pechipunteado													R	U	U
Piculus rivolii Crimson-mantled Woodpecker Carpintero Dorsicarmesí						U		U		R		U	U		
Piculus rubiginosus Golden-olive Woodpecker Carpintero Olividorado				C	C	C							U	U	

Species		West: Ocean	West: Coast	West: Arid Tropical	West: Humid Tropical	West: Foothills	West: Subtropical	West: Temperate	West: Paramo	Interandean	East: Paramo	East: Temperate	East: Subtropical	East: Foothills	East: Humid Tropical
Piculus flavigula Yellow-throated Woodpecker Carpintero Goliamarillo															R
Piculus leucolaemus White-throated Woodpecker Carpintero Goliblanco															R
Piculus litae Lita Woodpecker Carpintero de Lita					nU	nU									
Piculus chrysochloros Golden-green Woodpecker Carpintero Verdidorado															nR
Celeus elegans Chestnut Woodpecker Carpintero Castaño														U	U
Celeus grammicus Scale-breasted Woodpecker Carpintero Pechiescamado															U
Celeus loricatus Cinnamon Woodpecker Carpintero Canelo					nU	nU									
Celeus flavus Cream-colored Woodpecker Carpintero Flavo															U
Celeus spectabilis Rufous-headed Woodpecker Carpintero Cabecirrufo															R
Celeus torquatus Ringed Woodpecker Carpintero Fajeado															R
Dryocopus lineatus Lineated Woodpecker Carpintero Lineado					U	U								U	U
Melanerpes cruentatus Yellow-tufted Woodpecker Carpintero Penachiamarillo													R	C	C
Melanerpes pucherani Black-cheeked Woodpecker Carpintero Carinegro					C	C									

	Occidente									Oriente				
	Océano	Costa	Tropical Arido	Tropical Húmedo	Estribación	Subtropical	Templado	Páramo	Interandino	Páramo	Temperado	Subtropical	Estribaciones	Tropical Húmedo
Veniliornis fumigatus Smoky-brown Woodpecker Carpinterito Pardo					U	U	sU					U	U	
Veniliornis passerinus Little Woodpecker Carpinterito Chico													U	U
Veniliornis affinis Red-stained Woodpecker Carpinterito Rojoteñido														U
Veniliornis chocoensis Chocó Woodpecker Carpinterito del Chocó				nR	nR									
Veniliornis kirkii Red-rumped Woodpecker Carpinterito Lomirrojo			U	U	U									
Veniliornis callonotus Scarlet-backed Woodpecker Carpinterito Dorsiescarlata			C	U	U	sU								
Veniliornis dignus Yellow-vented Woodpecker Carpinterito Ventriamarillo						nR					U	U		
Veniliornis nigriceps Bar-bellied Woodpecker Carpinterito Ventribarrado							U	U	R	U	U			
Campephilus melanoleucos Crimson-crested Woodpecker Carpintero Crestirrojo													C	C
Campephilus gayaquilensis Guayaquil Woodpecker Carpintero Guayaquileño			R	U	U									
Campephilus rubricollis Red-necked Woodpecker Carpintero Cuellirrojo													R	R
Campephilus pollens Powerful Woodpecker Carpintero Poderoso						R	R				R	R		
Campephilus haematogaster Crimson-bellied Woodpecker Carpintero Carminoso					nR							R	R	

78 ***FURNARIIDAE***
OVENBIRDS
HORNEROS

Species	West									East				
	Ocean	Coast	Arid Tropical	Humid Tropical	Foothills	Subtropical	Temperate	Paramo	Interandean	Paramo	Temperate	Subtropical	Foothills	Humid Tropical
Geositta tenuirostris Slender-billed Miner Minero Piquitenue							**R**	**R**						
Cinclodes excelsior Stout-billed Cinclodes Cinclodes Piquigrueso								U		U				
Cinclodes fuscus Bar-winged Cinclodes Cinclodes Alifranjeado								C		C				
Furnarius cinnamomeus Pacific Hornero Hornero del Pacífico			C	C	U	sU								
[*Furnarius torridus* Bay Hornero Hornero Bayo]														n**R**
Furnarius minor Lesser Hornero Hornero Menor														R
Leptasthenura andicola Andean Tit-Spinetail Tijeral Andino								nU		nU				
Synallaxis azarae Azara's Spinetail Colaespina de Azara					U	C	C		U		C	C	mC	
Synallaxis moesta Dusky Spinetail Colaespina Oscura													U	R
Synallaxis brachyura Slaty Spinetail Colaespina Pizarrosa				C	C	U								
Synallaxis albigularis Dark-breasted Spinetail Colaespina Pechioscura												U	C	C
Synallaxis gujanensis Plain-crowned Spinetail Colaespina Coroniparda														nU

Species	Occidente: Océano	Occidente: Costa	Occidente: Tropical Arido	Occidente: Tropical Húmedo	Occidente: Estribación	Occidente: Subtropical	Occidente: Templado	Occidente: Páramo	Interandino	Oriente: Páramo	Oriente: Temperado	Oriente: Subtropical	Oriente: Estribaciones	Oriente: Tropical Húmedo
Synallaxis maranonica Marañón Spinetail Colaespina de Marañón													mU	
Synallaxis propinqua White-bellied Spinetail Colaespina Ventriblanca														U
Synallaxis tithys Blackish-headed Spinetail Colaespina Cabecinegruzca			sR		sR									
Synallaxis unirufa Rufous Spinetail Colaespina Rufa						U	U			U	U			
Synallaxis rutilans Ruddy Spinetail Colaespina Rojiza														R
Synallaxis cherriei Chestnut-throated Spinetail Colaespina Golicastaña														nR
Synallaxis stictothorax Necklaced Spinetail Colaespina Collareja			sU											
Hellmayrea gularis White-browed Spinetail Colaespina Cejiblanca							U				U			
Cranioleuca curtata Ash-browed Spinetail Colaespina Cejiceniza												U	U	
Cranioleuca erythrops Red-faced Spinetail Colaespina Carirroja				R	C	U								
Cranioleuca vulpina Rusty-backed Spinetail Colaespina Dorsirrojiza														U
Cranioleuca antisiensis Line-cheeked Spinetail Colaespina Cachetilineado						sC	sC		sR					
Cranioleuca gutturata Speckled Spinetail Colaespina Jaspeada														U

	Species		West: Ocean	Coast	Arid Tropical	Humid Tropical	Foothills	Subtropical	Temperate	Paramo	Interandean	East: Paramo	Temperate	Subtropical	Foothills	Humid Tropical
☐	*Schizoeaca fuliginosa* White-chinned Thistletail Colicardo Barbiblanco								nU	nU		nU	nU			
☐	*Schizoeaca griseomurina* Mouse-colored Thistletail Colicardo Murino								sU	sU		sU	sU			
☐	*Asthenes wyatti* Streak-backed Canastero Canastero Dorsilistado									U		U				
☐	*Asthenes flammulata* Many-striped Canastero Canastero Multilistado									C		C				
☐	*Thripophaga fusciceps* Plain Softtail Colasuave Sencillo															**nR**
☐	*Phacellodomus rufifrons* Common Thornbird Espinero Común														mU	
☐	*Siptornis striaticollis* Spectacled Prickletail Colapúa Frontino													R	R	
☐	*Xenerpestes singularis* Equatorial Graytail Colagris Ecuatorial													R	R	
☐	[*Xenerpestes minlosi* Double-banded Graytail Colagris Alibandeado]					**nR**										
☐	*Metopothrix aurantiacus* Orange-fronted Plushcrown Coronifelpa Frentidorada															U
☐	*Margarornis squamiger* Pearled Treerunner Subepalo Perlado							U	C				C	U		
☐	*Margarornis stellatus* Star-chested Treerunner Subepalo Pechiestrellado						nR	nR								
☐	*Premnoplex brunnescens* Spotted Barbtail Subepalo Moteado						U	U						U	U	

Especie	Occidente									Oriente				
	Océano	Costa	Tropical Arido	Tropical Húmedo	Estribación	Subtropical	Templado	Páramo	Interandino	Páramo	Temperado	Subtropical	Estribaciones	Tropical Húmedo
Premnornis guttuligera Rusty-winged Barbtail Subepalo Alirrojizo						nR						R		
Pseudocolaptes johnsoni Pacific Tuftedcheek Barbablanca del Pacífico					R	R								
Pseudocolaptes boissonneautii Streaked Tuftedcheek Barbablanca Rayada						U	C				C	U		
Berlepschia rikeri Point-tailed Palmcreeper Palmero														R
Ancistrops strigilatus Chestnut-winged Hookbill Picogancho Alicastaño														U
Hyloctistes subulatus Eastern Woodhaunter Rondamusgos Oriental													U	U
Hyloctistes virgatus Western Woodhaunter Rondamusgos Occidental				U	U									
Syndactyla subalaris Lineated Foliage-gleaner Limpiafronda Lineada					U	U						U	U	
Syndactyla rufosuperciliata Buff-browed Foliage-gleaner Limpiafronda Cejianteada												sR		
Syndactyla ruficollis Rufous-necked Foliage-gleaner Limpiafronda Cuellirrufa					sU	sU								
Anabacerthia variegaticeps Scaly-throated Foliage-gleaner Limpiafronda Goliescamosa					C	U								
Anabacerthia striaticollis Montane Foliage-gleaner Limpiafronda Montana												C	C	
Philydor fuscipennis Slaty-winged Foliage-gleaner Limpiafronda Alipizarrosa				U										

Species	West: Ocean	West: Coast	West: Arid Tropical	West: Humid Tropical	West: Foothills	West: Subtropical	West: Temperate	West: Paramo	Interandean	East: Paramo	East: Temperate	East: Subtropical	East: Foothills	East: Humid Tropical
Philydor pyrrhodes Cinnamon-rumped Foliage-gleaner Limpiafronda Lomicanela														U
Philydor erythrocercus Rufous-rumped Foliage-gleaner Limpiafronda Lomirrufa													U	U
Philydor rufus Buff-fronted Foliage-gleaner Limpiafronda Frentianteada					U	U						U	U	
Philydor erythropterus Chestnut-winged Foliage-gleaner Limpiafronda Alicastaña														U
Philydor ruficaudatus Rufous-tailed Foliage-gleaner Limpiafronda Colirrufa													R	R
Automolus infuscatus Olive-backed Foliage-gleaner Rascahojas Dorsiolivácea														U
Automolus dorsalis Dusky-cheeked Foliage-gleaner Rascahojas Cachetioscura													R	R
Automolus ochrolaemus Buff-throated Foliage-gleaner Rascahojas Gorgipálida				U	R								R	U
Automolus rubiginosus Ruddy Foliage-gleaner Rascahojas Rojiza				U	U								U	U
Automolus rufipileatus Chestnut-crowned Foliage-gleaner Rascahojas Coronicastaña														U
Automolus melanopezus Brown-rumped Foliage-gleaner Rascahojas Lomiparda														R
Hylocryptus erythrocephalus Henna-hooded Foliage-gleaner Rascahojas Capuchirrufa			sR		sR	sR								
Thripadectes flammulatus Flammulated Treehunter Trepamusgos Flamulado						R	R				R	R		

		Occidente								Oriente				
Especie	Océano	Costa	Tropical Arido	Tropical Húmedo	Estribación	Subtropical	Templado	Páramo	Interandino	Páramo	Temperado	Subtropical	Estribaciones	Tropical Húmedo
Thripadectes holostictus Striped Treehunter Trepamusgos Listado						R	R				R	R		
Thripadectes melanorhynchus Black-billed Treehunter Trepamusgos Piquinegro												U	U	
Thripadectes virgaticeps Streak-capped Treehunter Trepamusgos Gorrirrayado					nR	nR						nR	nR	
Thripadectes ignobilis Uniform Treehunter Trepamusgos Uniforme					U	R								
Xenops tenuirostris Slender-billed Xenops Xenops Picofino													R	R
Xenops rutilans Streaked Xenops Xenops Rayado			U	R	U	U						U	R	
Xenops minutus Plain Xenops Xenops Dorsillano				C	U								U	U
Xenops milleri Rufous-tailed Xenops Xenops Colirrufo														R
Sclerurus albigularis Gray-throated Leaftosser Tirahojas Goligris												R	R	
Sclerurus mexicanus Tawny-throated Leaftosser Tirahojas Golianteado				R	R								R	R
Sclerurus rufigularis Short-billed Leaftosser Tirahojas Piquicorto														R
Sclerurus caudacutus Black-tailed Leaftosser Tirahojas Colinegro														U
Sclerurus guatemalensis Scaly-throated Leaftosser Tirahojas Goliescamoso				R										

Species	West									East				
	Ocean	Coast	Arid Tropical	Humid Tropical	Foothills	Subtropical	Temperate	Paramo	Interandean	Paramo	Temperate	Subtropical	Foothills	Humid Tropical
Lochmias nematura Sharp-tailed Streamcreeper Riachuelero													R	
27 ***DENDROCOLAPTIDAE*** WOODCREEPERS TREPATRONCOS														
Dendrocincla tyrannina Tyrannine Woodcreeper Trepatroncos Tiranino						R	R				U	U		
Dendrocincla fuliginosa Plain-brown Woodcreeper Trepatroncos Pardo			U	C	U								U	U
Dendrocincla merula White-chinned Woodcreeper Trepatroncos Barbiblanco														R
Deconychura longicauda Long-tailed Woodcreeper Trepatroncos Colilargo												R	R	R
Deconychura stictolaema Spot-throated Woodcreeper Trepatroncos Golipunteado														R
Sittasomus griseicapillus Olivaceous Woodcreeper Trepatroncos Oliváceo			U	C	U	sU						R	R	R
Glyphorynchus spirurus Wedge-billed Woodcreeper Trepatroncos Piquicuña				C	U	nU						U	U	C
Nasica longirostris Long-billed Woodcreeper Trepatroncos Piquilargo														U
Dendrexetastes rufigula Cinnamon-throated Woodcreeper Trepatroncos Golicanelo														U
Xiphocolaptes promeropirhynchus Strong-billed Woodcreeper Trepatroncos Piquifuerte					U	U	U				U	U	U	U
Dendrocolaptes certhia Barred Woodcreeper Trepatroncos Barreteado				U										U

Species	Occidente									Oriente				
	Océano	Costa	Tropical Arido	Tropical Húmedo	Estribación	Subtropical	Templado	Páramo	Interandino	Páramo	Temperado	Subtropical	Estribaciones	Tropical Húmedo
Dendrocolaptes picumnus Black-banded Woodcreeper Trepatroncos Ventribandeado												R	R	R
Xiphorhynchus picus Straight-billed Woodcreeper Trepatroncos Piquirrecto														C
Xiphorhynchus obsoletus Striped Woodcreeper Trepatroncos Listado														U
Xiphorhynchus ocellatus Ocellated Woodcreeper Trepatroncos Ocelado													U	U
Xiphorhynchus spixii Spix's Woodcreeper Trepatroncos de Spix														R
Xiphorhynchus guttatus Buff-throated Woodcreeper Trepatroncos Golianteado													R	C
Xiphorhynchus lachrymosus Black-striped Woodcreeper Trepatroncos Pinto				nU										
Xiphorhynchus erythropygius Spotted Woodcreeper Trepatroncos Manchado				U	C	U								
Xiphorhynchus triangularis Olive-backed Woodcreeper Trepatroncos Dorsioliváceo												C	U	
Lepidocolaptes souleyetii Streak-headed Woodcreeper Trepatroncos Cabecirrayado			U	C	U	sU								
Lepidocolaptes lachrymiger Montane Woodcreeper Trepatroncos Montano					R	U	U				U	U	R	
Lepidocolaptes albolineatus Lineated Woodcreeper Trepatroncos Lineado													R	U
Campylorhamphus pucheranii Greater Scythebill Picoguadaña Grande						n**R**						**R**		

Species	West: Ocean	West: Coast	West: Arid Tropical	West: Humid Tropical	West: Foothills	West: Subtropical	West: Temperate	West: Paramo	Interandean	East: Paramo	East: Temperate	East: Subtropical	East: Foothills	East: Humid Tropical
Campylorhamphus trochilirostris Red-billed Scythebill Picoguadaña Piquirrojo			U	U	U	sU								U
Campylorhamphus procurvoides Curve-billed Scythebill Picoguadaña Piquicurvo														nR
Campylorhamphus pusillus Brown-billed Scythebill Picoguadaña Piquipardo					R	R						R	R	

93 *THAMNOPHILIDAE*
TYPICAL ANTBIRDS
HORMIGUEROS TIPICOS

Species	West: Ocean	West: Coast	West: Arid Tropical	West: Humid Tropical	West: Foothills	West: Subtropical	West: Temperate	West: Paramo	Interandean	East: Paramo	East: Temperate	East: Subtropical	East: Foothills	East: Humid Tropical
Cymbilaimus lineatus Fasciated Antshrike Batará Lineado				nU	nU								U	U
Frederickena unduligera Undulated Antshrike Batará Ondulado														R
Taraba major Great Antshrike Batará Mayor			R	U	U	sU								U
Sakesphorus bernardi Collared Antshrike Batará Collarejo			C		sC	sC								
Thamnophilus doliatus Barred Antshrike Batará Barreteado														nR
Thamnophilus zarumae Chapman's Antshrike Batará de Chapman					sU	sU								
Thamnophilus tenuepunctatus Lined Antshrike Batará Listado												U	C	
Thamnophilus praecox Cocha Antshrike Batará de Cocha														nR
Thamnophilus cryptoleucus Castelnau's Antshrike Batará de Castelnau														U

Species		Occidente									Oriente				
		Océano	Costa	Tropical Arido	Tropical Húmedo	Estribación	Subtropical	Templado	Páramo	Interandino	Páramo	Temperado	Subtropical	Estribaciones	Tropical Húmedo
Thamnophilus aethiops White-shouldered Antshrike Batará Hombriblanco													R	R	R
Thamnophilus unicolor Uniform Antshrike Batará Unicolor						U	U						U	U	
Thamnophilus schistaceus Plain-winged Antshrike Batará Alillano														U	C
Thamnophilus murinus Mouse-colored Antshrike Batará Murino															U
Thamnophilus amazonicus Amazonian Antshrike Batará Amazónico															n**R**
Thamnophilus atrinucha Western Slaty-Antshrike Batará-Pizarroso Occidental					C	U									
Thamnophilus punctatus Eastern Slaty-Antshrike Batará-Pizarroso Oriental															mR
Pygiptila stellaris Spot-winged Antshrike Batará Alimoteado															U
Megastictus margaritatus Pearly Antshrike Batará Perlado															**R**
Neoctantes niger Black Bushbird Arbustero Negro															R
Thamnistes anabatinus Russet Antshrike Batará Rojizo					R	C	U					R	U	U	
Dysithamnus mentalis Plain Antvireo Batarito Cabecigris				C	C	C							U	U	
Dysithamnus puncticeps Spot-crowned Antvireo Batarito Coronipunteado					nU	nU									

	Species		West: Ocean	West: Coast	West: Arid Tropical	West: Humid Tropical	West: Foothills	West: Subtropical	West: Temperate	West: Paramo	Interandean	East: Paramo	East: Temperate	East: Subtropical	East: Foothills	East: Humid Tropical
☐	*Dysithamnus leucostictus* White-streaked Antvireo Batarito Albirrayado													R	R	
☐	*Dysithamnus occidentalis* Bicolored Antvireo Batarito Bicolor													n**R**		
☐	*Thamnomanes ardesiacus* Dusky-throated Antshrike Batará Golioscuro															U
☐	*Thamnomanes caesius* Cinereous Antshrike Batará Cinéreo															C
☐	*Myrmotherula brachyura* Pygmy Antwren Hormiguerito Pigmeo															C
☐	*Myrmotherula ignota* Griscom's Antwren Hormiguerito de Griscom						n**R**									
☐	*Myrmotherula obscura* Short-billed Antwren Hormiguerito Piquicorto															C
☐	*Myrmotherula surinamensis* Amazonian Streaked-Antwren Hormiguerito-Rayado Amazónico															U
☐	*Myrmotherula pacifica* Pacific Streaked-Antwren Hormiguerito-Rayado del Pacífico					C	U									
☐	*Myrmotherula longicauda* Stripe-chested Antwren Hormiguerito Pechilistado													R	U	
☐	*Myrmotherula hauxwelli* Plain-throated Antwren Hormiguerito Golillano															U
☐	*Myrmotherula fulviventris* Checker-throated Antwren Hormiguerito Ventrifulvo					U	R									
☐	*Myrmotherula leucophthalma* White-eyed Antwren Hormiguerito Ojiblanco															**R**

Species	Occidente: Océano	Occidente: Costa	Occidente: Tropical Arido	Occidente: Tropical Húmedo	Occidente: Estribación	Occidente: Subtropical	Occidente: Templado	Occidente: Páramo	Interandino	Oriente: Páramo	Oriente: Temperado	Oriente: Subtropical	Oriente: Estribaciones	Oriente: Tropical Húmedo
Myrmotherula haematonota Stipple-throated Antwren Hormiguerito Golipunteado														**nR**
Myrmotherula spodionota Foothill Antwren Hormiguerito Tropandino													U	
Myrmotherula ornata Ornate Antwren Hormiguerito Adornado													U	R
Myrmotherula erythrura Rufous-tailed Antwren Hormiguerito Colirrufo														U
Myrmotherula axillaris White-flanked Antwren Hormiguerito Flanquiblanco				C										C
Myrmotherula schisticolor Slaty Antwren Hormiguerito Pizarroso				U	U	U						U	U	
Myrmotherula longipennis Long-winged Antwren Hormiguerito Alilargo														U
Myrmotherula sunensis Rio Suno Antwren Hormiguerito del Suno														nR
Myrmotherula behni Plain-winged Antwren Hormiguerito Alillano												**R**	**R**	
Myrmotherula menetriesii Gray Antwren Hormiguerito Gris														U
Dichrozona cincta Banded Antbird Hormiguero Bandeado														U
Herpsilochmus dugandi Dugand's Antwren Hormiguerito de Dugand														U
Herpsilochmus axillaris Yellow-breasted Antwren Hormiguerito Pechiamarillo												U	U	

Species	West: Ocean	West: Coast	West: Arid Tropical	West: Humid Tropical	West: Foothills	West: Subtropical	West: Temperate	West: Paramo	Interandean	East: Paramo	East: Temperate	East: Subtropical	East: Foothills	East: Humid Tropical
Herpsilochmus rufimarginatus Rufous-winged Antwren Hormiguerito Alirrufo				nR								R	U	
Microrhopias quixensis Dot-winged Antwren Hormiguerito Alipunteado				C										R
Drymophila devillei Striated Antbird Hormiguero Estriado														nR
Drymophila caudata Long-tailed Antbird Hormiguero Colilargo					U	U						U	U	
Terenura callinota Rufous-rumped Antwren Hormiguerito Lomirrufo					R	R						R	R	
Terenura humeralis Chestnut-shouldered Antwren Hormiguerito Hombricastaño														U*
[*Terenura spodioptila* Ash-winged Antwren Hormiguerito Alicenizo]														nR
Cercomacra cinerascens Gray Antbird Hormiguero Gris														C
Cercomacra tyrannina Dusky Antbird Hormiguero Oscuro			U	C										
Cercomacra nigrescens Blackish Antbird Hormiguero Negruzco												U	U	R
Cercomacra serva Black Antbird Hormiguero Negro													U	U
Cercomacra nigricans Jet Antbird Hormiguero Azabache			R	U										
Pyriglena leuconota White-backed Fire-eye Ojo-de-Fuego Dorsiblanco			U	U	U							U	U	

* Only from south of the Napo River/Sólo desde el sur del Río Napo

Species		Occidente: Océano	Occidente: Costa	Occidente: Tropical Arido	Occidente: Tropical Húmedo	Occidente: Estribación	Occidente: Subtropical	Occidente: Templado	Occidente: Páramo	Interandino	Oriente: Páramo	Oriente: Temperado	Oriente: Subtropical	Oriente: Estribaciones	Oriente: Tropical Húmedo
Myrmoborus leucophrys White-browed Antbird Hormiguero Cejiblanco														U	R
Myrmoborus lugubris Ash-breasted Antbird Hormiguero Pechicenizo															nR
Myrmoborus myotherinus Black-faced Antbird Hormiguero Carinegro														U	C
Hypocnemis cantator Warbling Antbird Hormiguero Gorjeador														U	U
Hypocnemis hypoxantha Yellow-browed Antbird Hormiguero Cejiamarillo															U
Hypocnemoides melanopogon Black-chinned Antbird Hormiguero Barbinegro															nU
Myrmochanes hemileucus Black-and-white Antbird Hormiguero Negriblanco															nU
Schistocichla leucostigma Spot-winged Antbird Hormiguero Alimoteado															U
Schistocichla schistacea Slate-colored Antbird Hormiguero Pizarroso															nR
Sclateria naevia Silvered Antbird Hormiguero Plateado															U
Myrmeciza exsul Chestnut-backed Antbird Hormiguero Dorsicastaño					C	C									
Myrmeciza nigricauda Esmeraldas Antbird Hormiguero Esmeraldeño					R	U									
Myrmeciza berlepschi Stub-tailed Antbird Hormiguero Colimocho					nU										

Species	West: Ocean	West: Coast	West: Arid Tropical	West: Humid Tropical	West: Foothills	West: Subtropical	West: Temperate	West: Paramo	Interandean	East: Paramo	East: Temperate	East: Subtropical	East: Foothills	East: Humid Tropical
Myrmeciza hemimelaena Chestnut-tailed Antbird Hormiguero Colicastaño														**R**
Myrmeciza hyperythra Plumbeous Antbird Hormiguero Plomizo														nC
Myrmeciza melanoceps White-shouldered Antbird Hormiguero Hombriblanco														C
Myrmeciza fortis Sooty Antbird Hormiguero Tiznado														U
Myrmeciza immaculata Immaculate Antbird Hormiguero Inmaculado				U	U	R								
Myrmeciza atrothorax Black-throated Antbird Hormiguero Golinegro														R
Myrmeciza griseiceps Gray-headed Antbird Hormiguero Cabecigris					sR	sR								
Pithys albifrons White-plumed Antbird Hormiguero Cuerniblanco													R	U
Gymnopithys leucaspis Bicolored Antbird Hormiguero Bicolor				nU	nR									U
Gymnopithys lunulata Lunulated Antbird Hormiguero Lunado														R
Rhegmatorhina melanosticta Hairy-crested Antbird Hormiguero Cresticanoso														R
Phlegopsis nigromaculata Black-spotted Bare-eye Carirrosa Negripunteada														nU
Phlegopsis erythroptera Reddish-winged Bare-eye Carirrosa Alirrojiza														R

Species	Occidente									Oriente				
	Océano	Costa	Tropical Arido	Tropical Húmedo	Estribación	Subtropical	Templado	Páramo	Interandino	Páramo	Temperado	Subtropical	Estribaciones	Tropical Húmedo
Phaenostictus mcleannani Ocellated Antbird Hormiguero Ocelado				nR										
Hylophylax naevioides Spotted Antbird Hormiguero Moteado				nU										
Hylophylax naevia Spot-backed Antbird Hormiguero Dorsipunteado													U	U
Hylophylax punctulata Dot-backed Antbird Hormiguero Lomipunteado														R
Hylophylax poecilonota Scale-backed Antbird Hormiguero Dorsiescamado													U	U
Myrmornis torquata Wing-banded Antbird Hormiguero Alifranjeado														**R**

27

FORMICARIIDAE
GROUND ANTBIRDS
FORMICARIOS

Species	Océano	Costa	Tropical Arido	Tropical Húmedo	Estribación	Subtropical	Templado	Páramo	Interandino	Páramo	Temperado	Subtropical	Estribaciones	Tropical Húmedo
Chamaeza campanisona Short-tailed Antthrush Chamaeza Colicorto												U	U	
Chamaeza nobilis Noble Antthrush Chamaeza Noble														U
Chamaeza mollissima Barred Antthrush Chamaeza Barreteado												**R**		
Formicarius colma Rufous-capped Antthrush Formicario Gorrirrufo														U
Formicarius analis Black-faced Antthrush Formicario Carinegro													U	C
Formicarius nigricapillus Black-headed Antthrush Formicario Cabecinegro				U	U									

Species	West: Ocean	West: Coast	West: Arid Tropical	West: Humid Tropical	West: Foothills	West: Subtropical	West: Temperate	West: Paramo	Interandean	East: Paramo	East: Temperate	East: Subtropical	East: Foothills	East: Humid Tropical
Formicarius rufipectus Rufous-breasted Antthrush Formicario Pechirrufo					U	U						U	U	
Pittasoma rufopileatum Rufous-crowned Antpitta Pitasoma Coronirrufa				nR	nR									
Grallaria squamigera Undulated Antpitta Gralaria Ondulada							U				U			
Grallaria gigantea Giant Antpitta Gralaria Gigante					nR	nR					R	R		
Grallaria guatimalensis Scaled Antpitta Gralaria Escamada				R	U								U	U
Grallaria haplonota Plain-backed Antpitta Gralaria Dorsillana					R							R	U	
Grallaria dignissima Ochre-striped Antpitta Gralaria Ocrelistada														R
Grallaria ruficapilla Chestnut-crowned Antpitta Gralaria Coroniscastaña						C	C				C	C		
Grallaria watkinsi Watkins' Antpitta Gralaria de Watkins			sU		sU	sU								
Grallaria nuchalis Chestnut-naped Antpitta Gralaria Nuquicastaña						U	U				U	U		
Grallaria hypoleuca White-bellied Antpitta Gralaria Ventriblanca												U		
Grallaria flavotincta Yellow-breasted Antpitta Gralaria Pechiamarillenta						nR								
Grallaria rufula Rufous Antpitta Gralaria Rufa						U	U				U	U		

Species	Océano	Costa	Tropical Arido	Tropical Húmedo	Estribación	Subtropical	Templado	Páramo	Interandino	Páramo	Temperado	Subtropical	Estribaciones	Tropical Húmedo
	Occidente									Oriente				
Grallaria quitensis Tawny Antpitta Gralaria Leonada							C	C	U	C	C			
Hylopezus perspicillatus Streak-chested Antpitta Tororoi Pechirrayado				R	R									
Hylopezus fulviventris White-lored Antpitta Tororoi Loriblanco														U
Myrmothera campanisona Thrush-like Antpitta Tororoi Campanero													U	C
Grallaricula flavirostris Ochre-breasted Antpitta Gralarita Ocrácea				sR	R	R						R	R	
Grallaricula nana Slate-crowned Antpitta Gralarita Coronipizarrosa											R	R		
Grallaricula lineifrons Crescent-faced Antpitta Gralarita Carilunada											**R**			
Grallaricula peruviana Peruvian Antpitta Gralarita Peruana												s**R**		

3 ***CONOPOPHAGIDAE***
GNATEATERS
JEJENEROS

Species	Océano	Costa	Tropical Arido	Tropical Húmedo	Estribación	Subtropical	Templado	Páramo	Interandino	Páramo	Temperado	Subtropical	Estribaciones	Tropical Húmedo
Conopophaga peruviana Ash-throated Gnateater Jejenero Golicenizo														U*
Conopophaga castaneiceps Chestnut-crowned Gnateater Jejenero Coronicastaño												U	U	
Conopophaga aurita Chestnut-belted Gnateater Jejenero Fajicastaño														U

* Only from south of the Napo River/Sólo desde el sur del Río Napo

			West									East				
			Ocean	Coast	Arid Tropical	Humid Tropical	Foothills	Subtropical	Temperate	Paramo	Interandean	Paramo	Temperate	Subtropical	Foothills	Humid Tropical
15	***RHINOCRYPTIDAE*** TAPACULOS TAPACULOS															
	Liosceles thoracicus Rusty-belted Tapaculo Tapaculo Fajirrojizo															U
	Melanopareia elegans Elegant Crescent-chest Pecholuna Elegante				sU	sU	sU	sU								
	[*Melanopareia maranonica* Maranon Crescent-chest Pecholuna del Marañón]															mR
	Myornis senilis Ash-colored Tapaculo Tapaculo Cenizo								U				U			
	Scytalopus latrans Blackish Tapaculo Tapaculo Negruzco						nC	nC	nC					U		
	Scytalopus unicolor Unicolored Tapaculo Tapaculo Unicolor						sU	sU	sU							
	Scytalopus micropterus Equatorial Rufous-vented Tapaculo Tapaculo Ventrirrufo Ecuatorial													U	U	
	Scytalopus atratus Northern White-crowned Tapaculo Tapaculo Coroniblanco Norteño														U	
	Scytalopus vicinior Nariño Tapaculo Tapaculo de Nariño						nU	nU								
	Scytalopus chocoensis ChocóTapaculo Tapaculo del Chocó						nU									
	Scytalopus robbinsi El Oro Tapaculo Tapaculo de El Oro						sU									
	Scytalopus spillmani Spillman's Tapaculo Tapaculo de Spillman							nU	nU				U	U		

Species	Occidente								Interandino	Oriente				
	Océano	Costa	Tropical Arido	Tropical Húmedo	Estribación	Subtropical	Templado	Páramo		Páramo	Temperado	Subtropical	Estribaciones	Tropical Húmedo
Scytalopus parkeri Chuquea Tapaculo Tapaculo de Chusquea											sU			
Scytalopus canus Páramo Tapaculo Tapaculo Paramero							nR			U	U			
Acropternis orthonyx Ocellated Tapaculo Tapaculo Ocelado							U		U		U			

206 ***TYRANNIDAE***
TYRANT FLYCATCHERS
TIRANOS, MOSQUEROS

Species	Océano	Costa	Tropical Arido	Tropical Húmedo	Estribación	Subtropical	Templado	Páramo	Interandino	Páramo	Temperado	Subtropical	Estribaciones	Tropical Húmedo
Phyllomyias zeledoni White-fronted Tyrannulet Tiranolete Frentiblanco					R							R	R	
Phyllomyias griseiceps Sooty-headed Tyrannulet Tiranolete Coronitiznado				U	U								U	R
Phyllomyias plumbeiceps Plumbeous-crowned Tyrannulet Tiranolete Coroniplomizo												R		
Phyllomyias nigrocapillus Black-capped Tyrannulet Tiranolete Gorrinegro						nU	nU				U	U		
Phyllomyias cinereiceps Ashy-headed Tyrannulet Tiranolete Cabecicenizo						nU						U		
Phyllomyias uropygialis Tawny-rumped Tyrannulet Tiranolete Lomileonado					R	U	U				U	U		
Zimmerius gracilipes Slender-footed Tyrannulet Tiranolete Patidelgado														U
Zimmerius cinereicapillus Red-billed Tyrannulet Tiranolete Piquirrojo													**R**	
Zimmerius chrysops Golden-faced Tyrannulet Tiranolete Caridorado				C	C	C						C	C	U

Species		West									East				
		Ocean	Coast	Arid Tropical	Humid Tropical	Foothills	Subtropical	Temperate	Paramo	Interandean	Paramo	Temperate	Subtropical	Foothills	Humid Tropical
Ornithion inerme White-lored Tyrannulet Tiranolete Alipunteado															U
Ornithion brunneicapillum Brown-capped Tyrannulet Tiranolete Gorripardo					U										
Camptostoma obsoletum Southern Beardless-Tyrannulet Tiranolete-Silbador Sureño				C	U	U	U			U				R	R
Phaeomyias murina Mouse-colored Tyrannulet Tiranolete Murino															R
Phaeomyias tumbeza Tumbes Tyrannulet Tiranolete de Tumbes				U		sR	sR								
Pseudelaenia leucospodia Gray-and-white Tyrannulet Tiranolete Gris y Blanco				sR											
Tyrannulus elatus Yellow-crowned Tyrannulet Tiranolete Coroniamarillo					U	U								U	U
Myiopagis gaimardii Forest Elaenia Elenita Selvática														U	U
Myiopagis caniceps Gray Elaenia Elenita Gris					nR										U
Myiopagis subplacens Pacific Elaenia Elenita del Pacífico				sU	sU	sR	sR								
Myiopagis flavivertex Yellow-crowned Elaenia Elenita Coroniamarilla															nR
Myiopagis viridicata Greenish Elaenia Elenita Verdosa				U	U	U									
Elaenia flavogaster Yellow-bellied Elaenia Elenia Penachuda				R	U	U								mC	

Especie		Occidente: Océano	Occidente: Costa	Occidente: Tropical Arido	Occidente: Tropical Húmedo	Occidente: Estribación	Occidente: Subtropical	Occidente: Templado	Occidente: Páramo	Interandino	Oriente: Páramo	Oriente: Temperado	Oriente: Subtropical	Oriente: Estribaciones	Oriente: Tropical Húmedo
Elaenia spectabilis Large Elaenia Elenia Tribandeada	ma														R
Elaenia chiriquensis Lesser Elaenia Elenia Menor					nR	nR								mR	
Elaenia gigas Mottle-backed Elaenia Elenia Cachudita													R	U	U
Elaenia obscura Highland Elaenia Elenia Oscura										sR					
Elaenia pallatangae Sierran Elaenia Elenia Serrana							U	U				U	U		
Elaenia albiceps White-crested Elaenia Elenia Crestiblanca							U	U		U		U	U		
Elaenia parvirostris Small-billed Elaenia Elenia Piquichica	ma														U
Sublegatus obscurior Amazonian Scrub-Flycatcher Mosquerito-Breñero Amazónico															R
Mecocerculus leucophrys White-throated Tyrannulet Tiranillo Barbiblanco								U	U		U	U			
Mecocerculus poecilocercus White-tailed Tyrannulet Tiranillo Coliblanco							C						U		
Mecocerculus calopterus Rufous-winged Tyrannulet Tiranillo Alirrufo						U	U						sR		
Mecocerculus stictopterus White-banded Tyrannulet Tiranillo Albibandeado							U	U				U	U		
Mecocerculus minor Sulphur-bellied Tyrannulet Tiranillo Ventriazufrado							nR					U	U		

Species	West: Ocean	West: Coast	West: Arid Tropical	West: Humid Tropical	West: Foothills	West: Subtropical	West: Temperate	West: Paramo	Interandean	East: Paramo	East: Temperate	East: Subtropical	East: Foothills	East: Humid Tropical
Serpophaga hypoleuca River Tyrannulet Tiranolete Ribereño														R
Serpophaga cinerea Torrent Tyrannulet Tiranolete Guardarríos				sR	U	U	U		U		U	U	U	
Stigmatura napensis Lesser Wagtail-Tyrant Rabicano Menor														nU
Anairetes parulus Tufted Tit-Tyrant Cachudito Torito							U	R	U	R	U			
Anairetes nigrocristatus Black-crested Tit-Tyrant Cachudito Crestinegro						s**R**								
Uromyias agilis Agile Tit-Tyrant Cachudito Agil							U				U			
Pseudocolopteryx acutipennis Subtropical Doradito Doradito Subtropical									R					
Euscarthmus meloryphus Tawny-crowned Pygmy-Tyrant Tirano-Enano Frentileonado			C		sU	sU							mC	
Mionectes striaticollis Streak-necked Flycatcher Mosquerito Cuellilistado					U	U	U				U	U	U	
Mionectes olivaceus Olive-striped Flycatcher Mosquerito Olivirrayado				U	U	R						U	U	
Mionectes oleagineus Ochre-bellied Flycatcher Mosquerito Ventriocráceo			U	U	R	sR							U	U
Leptopogon superciliaris Slaty-capped Flycatcher Mosquerito Gorripizarro				U	C	U						U	U	
Leptopogon amaurocephalus Sepia-capped Flycatcher Mosquerito Gorrisepia														U

Species		Occidente: Océano	Occidente: Costa	Occidente: Tropical Arido	Occidente: Tropical Húmedo	Occidente: Estribación	Occidente: Subtropical	Occidente: Templado	Occidente: Páramo	Interandino	Oriente: Páramo	Oriente: Temperado	Oriente: Subtropical	Oriente: Estribaciones	Oriente: Tropical Húmedo
Leptopogon rufipectus Rufous-breasted Flycatcher Mosquerito Pechirrufo													U		
Phylloscartes gualaquizae Ecuadorian Tyrannulet Tiranolete Ecuatoriano													R	R	
Phylloscartes superciliaris Rufous-browed Tyrannulet Tiranolete Cejirrufo													sR		
Phylloscartes ophthalmicus Marble-faced Bristle-Tyrant Orejerito Carijaspeado							nU						U		
Phylloscartes poecilotis Variegated Bristle-Tyrant Orejerito Variegado													U		
Phylloscartes orbitalis Spectacled Bristle-Tyrant Orejerito de Anteojos														R	
Capsiempsis flaveola Yellow Tyrannulet Tiranolete Amarillo					U	U								nR	
Pseudotriccus pelzelni Bronze-olive Pygmy-Tyrant Tirano-Enano Bronceado						U	U						U	U	
Pseudotriccus ruficeps Rufous-headed Pygmy-Tyrant Tirano-Enano Cabecirrufo							nU	nU				U	U		
Myiornis ecaudatus Short-tailed Pygmy-Tyrant Tirano-Enano Colicorto															R
Myiornis atricapillus Black-capped Pygmy-Tyrant Tirano-Enano Gorrinegro					nU	nU									
Lophotriccus pileatus Scale-crested Pygmy-Tyrant Cimerillo Crestiescamado				U	C	C	U						U	U	
Lophotriccus vitiosus Double-banded Pygmy-Tyrant Cimerillo Doblebandeado															U

Species	West: Ocean	Coast	Arid Tropical	Humid Tropical	Foothills	Subtropical	Temperate	Paramo	Interandean	East: Paramo	Temperate	Subtropical	Foothills	Humid Tropical
Corythopis torquata Ringed Antpipit Coritopis Fajeado													U	U
Poecilotriccus ruficeps Rufous-crowned Tody-Tyrant Tirano-Todi Coronirrufo						U						U		
Poecilotriccus capitalis Black-and-white Tody-Tyrant Tirano-Todi Negriblanco												R	R	R
Hemitriccus zosterops White-eyed Tody-Tyrant Tirano-Todi Ojiblanco													U	U
Hemitriccus iohannis Johannes' Tody-Tyrant Tirano-Todi de Johannes														s**R**
Hemitriccus granadensis Black-throated Tody-Tyrant Tirano-Todi Golinegro						nR	nR				U	U		
Hemitriccus rufigularis Buff-throated Tody-Tyrant Tirano-Todi Golianteado												R	R	
Hemitriccus cinnamomeipectus Cinnamon-breasted Tody-Tyrant Tirano-Todi Pechicanelo												s**R**		
Todirostrum nigriceps Black-headed Tody-Flycatcher Espatulilla Cabecinegra				U	U									
Todirostrum chrysocrotaphum Yellow-browed Tody-Flycatcher Espatulilla Cejiamarilla														U
Todirostrum calopterum Golden-winged Tody-Flycatcher Espatulilla Alidorada													U	R
Todirostrum cinereum Common Tody-Flycatcher Espatulilla Común			C	C	U	U						sR	U	R
Todirostrum maculatum Spotted Tody-Flycatcher Espatulilla Moteada														U

			Occidente									Oriente				
			Océano	Costa	Tropical Arido	Tropical Húmedo	Estribación	Subtropical	Templado	Páramo	Interandino	Páramo	Temperado	Subtropical	Estribaciones	Tropical Húmedo
☐	*Todirostrum latirostre* Rusty-fronted Tody-Flycatcher Espatulilla Frentirrojiza														U	U
☐	*Cnipodectes subbrunneus* Brownish Twistwing Alitorcido Pardo				R	R										U
☐	*Ramphotrigon ruficauda* Rufous-tailed Flatbill Picoplano Colirrufo															R
☐	*Ramphotrigon fuscicauda* Dusky-tailed Flatbill Picoplano Colinegruzco															nR
☐	*Ramphotrigon megacephala* Large-headed Flatbill Picoplano de Bambú														R	
☐	*Rhynchocyclus pacificus* Pacific Flatbill Picoplano del Pacífico					nR	nR									
☐	*Rhynchocyclus fulvipectus* Fulvous-breasted Flatbill Picoplano Pechifulvo						U	U						U	U	
☐	*Rhynchocyclus olivaceus* Olivaceous Flatbill Picoplano Oliváceo															U
☐	*Tolmomyias sulphurescens* Yellow-olive Flycatcher Picoancho Azufrado				U	C	U							U	U	
☐	*Tolmomyias assimilis* Yellow-margined Flycatcher Picoancho Alimarginado					nU										U
☐	*Tolmomyias traylori* Oragne-eyed Flycatcher Picoancho Ojinaranja															R
☐	*Tolmomyias poliocephalus* Gray-crowned Flycatcher Picoancho Coroniplomizo															U
☐	*Tolmomyias flaviventris* Yellow-breasted Flycatcher Picoancho Pechiamarillo														C	C

	West									East				
Species	Ocean	Coast	Arid Tropical	Humid Tropical	Foothills	Subtropical	Temperate	Paramo	Interandean	Paramo	Temperate	Subtropical	Foothills	Humid Tropical
Platyrinchus mystaceus White-throated Spadebill Picochato Goliblanco				U	U	U						U	U	
Platyrinchus platyrhynchos White-crested Spadebill Picochato Crestiblanco														R
Platyrinchus coronatus Golden-crowned Spadebill Picochato Coronidorado				nU										U
Platyrinchus saturatus Cinnamon-crested Spadebill Picochato Cresticanelo														nR
Platyrinchus flavigularis Yellow-throated Spadebill Picochato Goliamarillo												R		
Onychorhynchus coronatus Amazonan Royal-Flycatcher Mosquero-Real Amazónico														R
Onychorhynchus occidentalis Pacific Royal-Flycatcher Mosquero-Real Occidental			R	R	R									
Neopipo cinnamomea Cinnamon Tyrant Neopipo Canelo														R
Terenotriccus erythrurus Ruddy-tailed Flycatcher Mosquerito Colirrojizo				U									U	U
Pyrrhomyias cinnamomea Cinnamon Flycatcher Mosquerito Canelo					C	C	C				C	C	C	
Myiotriccus ornatus Ornate Flycatcher Mosquerito Adornado				U	C	C						C	C	
Myiobius villosus Tawny-breasted Flycatcher Mosquerito Pechileonado				nR	nU	nU						U	U	
Myiobius atricaudus Black-tailed Flycatcher Mosquerito Colinegro				U	U									R

Species		Occidente									Oriente				
		Océano	Costa	Tropical Arido	Tropical Húmedo	Estribación	Subtropical	Templado	Páramo	Interandino	Páramo	Temperado	Subtropical	Estribaciones	Tropical Húmedo
Myiobius barbatus Sulphur-rumped Flycatcher Mosquerito Lomiazufrado					U	U								U	U
Myiophobus flavicans Flavescent Flycatcher Mosquerito Flavecente						nR	U						U		
Myiophobus phoenicomitra Orange-crested Flycatcher Mosquerito Crestinaranja						nU	nR						R	U	
Myiophobus fasciatus Bran-colored Flycatcher Mosquerito Pechirrayado				U	U	U	R							R	R
Myiophobus cryptoxanthus Olive-chested Flycatcher Mosquerito Pechioliváceo													R	U	R
Myiophobus pulcher Handsome Flycatcher Mosquerito Hermoso							nR						R		
Myiophobus lintoni Orange-banded Flycatcher Mosquerito Franjinaranja												sR	sR		
Myiophobus roraimae Roraiman Flycatcher Mosquerito Roraimeño													R		
Mitrephanes phaeocercus Common Tufted-Flycatcher Mosquerito-Moñudo Común					nR										
Contopus virens Eastern Wood-Pewee Pibí Oriental	mb				R	R								U	U
Contopus sordidulus Western Wood-Pewee Pibí Occidental	mb				C	C	C						U	U	
Contopus cinereus Tropical Pewee Pibí Tropical				sU	sU	sU								?m	
Contopus nigrescens Blackish Pewee Pibí Negruzco														R	R

Species	Status	West: Ocean	West: Coast	West: Arid Tropical	West: Humid Tropical	West: Foothills	West: Subtropical	West: Temperate	West: Paramo	Interandean	East: Paramo	East: Temperate	East: Subtropical	East: Foothills	East: Humid Tropical
Contopus fumigatus Smoke-colored Pewee Pibí Ahumado					R	C	C	C		U		C	C	C	
Contopus borealis Olive-sided Flycatcher Pibí Boreal	mb				R	U	R						U	U	R
Empidonax virescens Acadian Flycatcher Mosquerito Verdoso	mb				U	U	R								
Empidonax traillii Willow Flycatcher Mosquerito de Sauces	mb													R	R
Empidonax alnorum Alder Flycatcher Mosquerito de Alisos	mb														R
Lathrotriccus euleri Euler's Flycatcher Mosquerito de Euler														R	R
Lathrotriccus griseipectus Gray-breasted Flycatcher Mosquerito Pechigris				R	R	R	R								
Cnemotriccus fuscatus Fuscous Flycatcher Mosquerito Fusco															U
Sayornis nigricans Black Phoebe Febe Guardarríos					R	U	U	U		U		U	U	U	
Pyrocephalus rubinus Vermilion Flycatcher Mosquero Bermellón	r ma			C	U	U				U					 R
Ochthoeca fumicolor Brown-backed Chat-Tyrant Pitajo Dorsipardo								U	C	U	C	U			
[*Ochthoeca leucophrys* White-browed Chat-Tyrant Pitajo Cejiblanco]								sR		sR					
Ochthoeca rufipectoralis Rufous-breasted Chat-Tyrant Pitajo Pechirrufo								U				U			

	Species		Occidente: Océano	Costa	Tropical Árido	Tropical Húmedo	Estribación	Subtropical	Templado	Páramo	Interandino	Oriente: Páramo	Temperado	Subtropical	Estribaciones	Tropical Húmedo
☐	*Ochthoeca cinnamomeiventris* Slaty-backed Chat-Tyrant Pitajo Dorsipizarro							U	U				U	U		
☐	*Silvicultrix frontalis* Crowned Chat-Tyrant Pitajo Coronado								U	R		R	U			
☐	*Silvicultrix jelskii* Jelski's Chat-Tyrant Pitajo de Jelski							sR	sR							
☐	*Silvicultrix diadema* Yellow-bellied Chat-Tyrant Pitajo Ventriamarillo							nU	nU				U	U		
☐	*Ochthornis littoralis* Drab Water-Tyrant Guardarríos Arenisco															C
☐	*Cnemarchus erythropygius* Red-rumped Bush-Tyrant Alinaranja Lomirrojiza								R	U		U	R			
☐	*Myiotheretes striaticollis* Streak-throated Bush-Tyrant Alinaranja Golilistada								U		U		U			
☐	*Myiotheretes fumigatus* Smoky Bush-Tyrant Alinaranja Ahumada							U	U				U	U		
☐	*Hirundinea ferruginea* Cliff Flycatcher Tirano de Riscos													U	U	
☐	*Agriornis montana* Black-billed Shrike-Tyrant Arriero Piquinegro							sR	U	U		U	U			
☐	*Agriornis andicola* White-tailed Shrike-Tyrant Arriero Coliblanco								sR	R		R	sR			
☐	*Muscisaxicola alpina* Plain-capped Ground-Tyrant Dormilona Gorrillana									C		C				
☐	*Muscisaxicola albilora* White-browed Ground-Tyrant Dormilona Cejiblanca	ma							U	U		U	U			

	Species	Status	West: Ocean	West: Coast	West: Arid Tropical	West: Humid Tropical	West: Foothills	West: Subtropical	West: Temperate	West: Paramo	Interandean	East: Paramo	East: Temperate	East: Subtropical	East: Foothills	East: Humid Tropical
☐	[*Muscisaxicola macloviana* Dark-faced Ground-Tyrant Dormilona Carinegruzca]	ma		sR												
☐	*Muscisaxicola maculirostris* Spot-billed Ground-Tyrant Dormilona Piquipinta									U	U	U				
☐	*Muscisaxicola fluviatilis* Little Ground-Tyrant Dormilona Chica	v?													R	R
☐	*Muscigralla brevicauda* Short-tailed Field-Tyrant Tiranito Colicorto				sU		sU									
☐	*Knipolegus poecilurus* Rufous-tailed Tyrant Viudita Colicolorada													R	R	
☐	*Knipolegus poecilocercus* Amazonian Black-Tyrant Viudita-Negra Amazónica															nR
☐	*Knipolegus orenocensis* Riverside Tyrant Viudita Rivereña															nR
☐	[*Fluvicola pica* Pied Water-Tyrant Tirano-de-Agua Pinto]	v														nR
☐	*Fluvicola nengeta* Masked Water-Tyrant Tirano-de-Ciénega				U	sC	U									
☐	[*Arundinicola leucocephala* White-headed Marsh-Tyrant Tirano-de-Agua Cabecialbo	v?														nR
☐	*Colonia colonus* Long-tailed Tyrant Tirano Colilargo					nU									U	U
☐	*Attila citriniventris* Citron-bellied Attila Atila Ventricitrino															R
☐	*Attila spadiceus* Bright-rumped Attila Atila Polimorfo					U	U	R								U

Especie	Estado	Occidente									Oriente				
		Océano	Costa	Tropical Arido	Tropical Húmedo	Estribación	Subtropical	Templado	Páramo	Interandino	Páramo	Temperado	Subtropical	Estribaciones	Tropical Húmedo
[*Attila bolivianus* White-eyed Attila Atila Ojiblanco]	v?														nR
Attila cinnamomeus Cinnamon Attila Atila Canelo															U
Attila torridus Ochraceous Attila Atila Ocráceo					U	U	U								
Rhytipterna simplex Grayish Mourner Copetón-Plañidero Grisáceo														U	C
Rhytipterna holerythra Rufous Mourner Copetón-Plañidero Rufo					nR	nR									
Sirystes sibilator Sirystes Siristes					nU										U
Myiarchus tuberculifer Dusky-capped Flycatcher Copetón Crestioscuro				U	U	U	U						U	U	U
Myiarchus swainsoni Swainson's Flycatcher Copetón de Swainson	ma														U
Myiarchus ferox Short-crested Flycatcher Copetón Cresticorto														U	U
Myiarchus cephalotes Pale-edged Flycatcher Copetón Filipálido													U	U	
Myiarchus phaeocephalus Sooty-crowned Flycatcher Copetón Coronitiznado				U	sU	sU								mR	
[*Myiarchus crinitus* Great Crested Flycatcher Copetón Viajero]	mb														nR
Pitangus sulphuratus Great Kiskadee Bienteveo Grande															C

	Species	Status	West: Ocean	West: Coast	West: Arid Tropical	West: Humid Tropical	West: Foothills	West: Subtropical	West: Temperate	West: Paramo	Interandean	East: Paramo	East: Temperate	East: Subtropical	East: Foothills	East: Humid Tropical
☐	*Philohydor lictor* Lesser Kiskadee Bienteveo Menor															C
☐	*Megarynchus pitangua* Boat-billed Flycatcher Mosquero Picudo				U	U	U	sU							U	U
☐	*Myiozetetes cayanensis* Rusty-margined Flycatcher Mosquero Alicastaño					C	C									R
☐	*Myiozetetes similis* Social Flycatcher Mosquero Social				C	U	sC	sR							C	C
☐	*Myiozetetes granadensis* Gray-capped Flycatcher Mosquero Cabecigris					nC	nU								U	C
☐	*Myiozetetes luteiventris* Dusky-chested Flycatcher Mosquero Pechioscuro															R
☐	*Conopias cinchoneti* Lemon-browed Flycatcher Mosquero Cejilimón							nR						U	U	
☐	*Conopias albovittata* White-ringed Flycatcher Mosquero Aureola					nU										
☐	*Conopias parva* Yellow-throated Flycatcher Mosquero Goliamarillo															nR
☐	*Conopias trivirgata* Three-striped Flycatcher Mosquero Tri-rayado	v?														nR
☐	*Myiodynastes luteiventris* Sulphur-bellied Flycatcher Mosquero Ventriazufrado	mb														U
☐	*Myiodynastes maculatus* Streaked Flycatcher Mosquero Rayado	r ma			U	U									U U	U U
☐	*Myiodynastes bairdii* Baird's Flycatcher Mosquero de Baird				sU		sU									

Species	Status	Occidente: Océano	Occidente: Costa	Occidente: Tropical Arido	Occidente: Tropical Húmedo	Occidente: Estribación	Occidente: Subtropical	Occidente: Templado	Occidente: Páramo	Interandino	Oriente: Páramo	Oriente: Temperado	Oriente: Subtropical	Oriente: Estribaciones	Oriente: Tropical Húmedo
Myiodynastes chrysocephalus Golden-crowned Flycatcher Mosquero Coronidorado						U	U						U	U	
Legatus leucophaius Piratic Flycatcher Mosquero Pirata					U	U								U	U
Griseotyrannus aurantioatrocristatus Crowned Slaty-Flycatcher Mosquero Coronado	ma													U	U
Empidonomus varius Variegated Flycatcher Mosquero Variegado	ma														U
Tyrannopsis sulphurea Sulphury Flycatcher Mosquero Azufrado															R
Tyrannus savana Fork-tailed Flycatcher Tijereta Sabanera	ma				R					R					U
[*Tyrannus forficatus* Scissor-tailed Flycactcher Tijereta Rosada]	mb														nR
Tyrannus tyrannus Eastern Kingbird Tirano Norteño	mb				nR									U	C
Tyrannus melancholicus Tropical Kingbird Tirano Tropical	r ma			C	C	C	U	R		nR		R	U	C	C ?
[*Tyrannus albogularis* White-throated Kingbird Tirano Goliblanco]	ma														R
Tyrannus niveigularis Snowy-throated Kingbird Tirano Goliníveo				U	R										
[*Tyrannus dominicensis* Gray Kingbird Tirano Gris]	mb		R												
Pachyramphus xanthogenys Yellow-cheeked Becard Cabezón Cachetiamarillo													R	U	

Species	West: Ocean	West: Coast	West: Arid Tropical	West: Humid Tropical	West: Foothills	West: Subtropical	West: Temperate	West: Paramo	Interandean	East: Paramo	East: Temperate	East: Subtropical	East: Foothills	East: Humid Tropical
Pachyramphus versicolor Barred Becard Cabezón Barreteado						U						U		
Pachyramphus spodiurus Slaty Becard Cabezón Pizarroso			R	R										
[*Pachyramphus rufus* Cinereous Becard Cabezón Cinéreo]														sR
Pachyramphus castaneus Chestnut-crowned Becard Cabezón Nuquigris													R	R
Pachyramphus cinnamomeus Cinnamon Becard Cabezón Canelo				C	C									
Pachyramphus polychopterus White-winged Becard Cabezón Aliblanco				nU	nR								R	U
Pachyramphus marginatus Black-capped Becard Cabezón Gorrinegro														U
Pachyramphus albogriseus Black-and-white Becard Cabezón Blanquinegro			U	U	U	U					R	U	U	
Pachyramphus homochrous One-colored Becard Cabezón Unicolor			U	U	U									
Pachyramphus validus Crested Becard Cabezón Crestado												sR		
Pachyramphus validus Pink-throated Becard Cabezón Golirrosado														U
Pachyramphus minor Crested Becard Cabezón Crestrado														U
Tityra cayana Black-tailed Tityra Titira Colinegra														U

Especie	Occidente: Océano	Costa	Tropical Arido	Tropical Húmedo	Estribación	Subtropical	Templado	Páramo	Interandino	Oriente: Páramo	Temperado	Subtropical	Estribaciones	Tropical Húmedo
Tityra semifasciata Masked Tityra *Titira Esmascarada*				U	U								U	U
Tityra inquisitor Black-crowned Tityra Titira Coroninegra			nU	nU										U
33 ***COTINGIDAE*** COTINGAS COTINGAS														
[*Oxyruncus cristatus* Sharpbill Picoagudo]														sR
Ampelion rubrocristatus Red-crested Cotinga Cotinga Crestirroja							U	R		R	U			
Ampelion rufaxilla Chestnut-crested Cotinga Cotinga Cresticastaña												R		
Doliornis remseni Chestnut-bellied Cotinga Cotinga Ventricastaña											R			
Pipreola riefferii Green-and-black Fruiteater Frutero Verdinegro					R	U	R				R	U		
Pipreola arcuata Barred Fruiteater Frutero Barreteado							U				U			
Pipreola lubomirskii Black-chested Fruiteater Frutero Pechinegro												U		
Pipreola jucunda Orange-breasted Fruiteater Frutero Pechinaranja					nU	nU								
Pipreola frontalis Scarlet-breasted Fruiteater Frutero Pechiescarlata												U	U	
Pipreola chlorolepidota Fiery-throated Fruiteater Frutero Golifuego													R	R

Species	West									East				
	Ocean	Coast	Arid Tropical	Humid Tropical	Foothills	Subtropical	Temperate	Paramo	Interandean	Paramo	Temperate	Subtropical	Foothills	Humid Tropical
Ampelioides tschudii Scaled Fruiteater Frutero Escamado					R	R						R	R	
Iodopleura isabellae White-browed Purpletuft Yodopleura Cejiblanca														U
Laniisoma elegans Elegant Mourner Plañidera Elegante													R	
Laniocera hypopyrrha Cinereous Mourner Plañidera Cinérea														R
Laniocera rufescens Speckled Mourner Plañidera Moteada				nR										
Lipaugus cryptolophus Olivaceous Piha Piha Olivácea					nU	nU						U	U	
Lipaugus subalaris Gray-tailed Piha Piha Coligris													R	
Lipaugus fuscocinereus Dusky Piha Piha Oscura											R	R		
Lipaugus vociferans Screaming Piha Piha Gritona														C
Lipaugus unirufa Rufous Piha Piha Rojiza				nR										
Porphyrolaema porphyrolaema Purple-throated Cotinga Cotinga Golipúrpura														R
Cotinga nattererii Blue Cotinga Cotinga Azul				nR	nR									
Cotinga maynana Plum-throated Cotinga Cotinga Golimorada													R	U

Species		Occidente								Interandino	Oriente				
		Océano	Costa	Tropical Arido	Tropical Húmedo	Estribación	Subtropical	Templado	Páramo		Páramo	Temperado	Subtropical	Estribaciones	Tropical Húmedo
Cotinga cayana Spangled Cotinga Cotinga Lentejuelada															U
Xipholena punicea Pompadour Cotinga Cotinga Púrpura	v?														sR
Carpodectes hopkei Black-tipped Cotinga Cotinga Blanca					nR	nR									
Gymnoderus foetidus Bare-necked Fruitcrow Cuervo-Higuero Cuellipelado															U
Querula purpurata Purple-throated Fruitcrow Querula Golipúrpura					C										C
Pyroderus scutatus Red-ruffed Fruitcrow Cuervo-Higuero Golirrojo					nR	nR									
Cephalopterus ornatus Amazonian Umbrellabird Pájaro-Paraguas Amazónico														R	R
Cephalopterus penduliger Long-wattled Umbrellabird Pájaro-Paraguas Longuipéndulo					R	R									
Phoenicircus nigricollis Black-necked Red-Cotinga Cotinga-Roja Cuellinegra															R
Rupicola peruviana Andean Cock-of-the-rock Gallo de la Peña Andino						U	U						U	U	
20 ***PIPRIDAE*** MANAKINS SALTARINES															
Pipra erythrocephala Golden-headed Manakin Saltarín Capuchidorado														R	U
Pipra mentalis Red-capped Manakin Saltarín Cabecirrojo					nU										

Species	Ocean (West)	Coast (West)	Arid Tropical (West)	Humid Tropical (West)	Foothills (West)	Subtropical (West)	Temperate (West)	Paramo (West)	Interandean	Paramo (East)	Temperate (East)	Subtropical (East)	Foothills (East)	Humid Tropical (East)
Pipra pipra White-crowned Manakin Saltarín Coroniblanco												U	U	R
Pipra isidorei Blue-rumped Manakin Saltarín Lomiazul												U	U	
Pipra coronata Blue-crowned Manakin Saltarín Coroniazul				nU										C
Pipra filicauda Wire-tailed Manakin Saltarín Cola-de-Alambre														U
Chiroxiphia pareola Blue-backed Manakin Saltarín Dorsiazul														U
Masius chrysopterus Golden-winged Manakin Saltarín Alidorado					U	U						U	U	
Manacus manacus White-bearded Manakin Saltarín Barbiblanco				C	C									U
Machaeropterus regulus Striped Manakin Saltarín Rayado													U	U
Machaeropterus deliciosus Club-winged Manakin Saltarín Alitorcido					U									
Chloropipo holochlora Green Manakin Saltarín Verde				nU	nU							R	U	U
Chloropipo flavicapilla Yellow-headed Manakin Saltarín Cabeciamarillo												R		
Chloropipo unicolor Jet Manakin Saltarín Azabache												U		
Heterocercus aurantiivertex Orange-crested Manakin Saltarín Crestinaranja														nR

Especie	Occidente: Océano	Occidente: Costa	Occidente: Tropical Arido	Occidente: Tropical Húmedo	Occidente: Estribación	Occidente: Subtropical	Occidente: Templado	Occidente: Páramo	Interandino	Oriente: Páramo	Oriente: Temperado	Oriente: Subtropical	Oriente: Estribaciones	Oriente: Tropical Húmedo
Tyranneutes stolzmanni Dwarf Tyrant-Manakin Saltarincillo Enano														C
Piprites chloris Wing-barred Piprites Piprites Alibandeado												R	U	U
Sapayoa aenigma Broad-billed Sapayoa Sapayoa				nR										
Schiffornis turdinus Thrush-like Mourner Schiffornis Pardo				U	U	R						U	U	R
Schiffornis major Varzea Mourner Schiffornis de Varzea														U
6 ***CORVIDAE*** JAYS URRACAS														
Cyanolyca armillata Black-collared Jay Urraca Negricollareja											nR			
Cyanolyca turcosa Turquoise Jay Urraca Turquesa						U	U				U	U		
Cyanolyca pulchra Beautiful Jay Urraca Hermosa					nR	nR								
Cyanocorax violaceus Violaceous Jay Urraca Violácea													R	C
Cyanocorax mystacalis White-tailed Jay Urraca Coliblanca			U		sR	sR								
Cyanocorax yncas Green Jay Urraca Verde												C	C	

12 *VIREONIDAE*

VIREOS

VIREOS

Species	Status	West									East				
		Ocean	Coast	Arid Tropical	Humid Tropical	Foothills	Subtropical	Temperate	Paramo	Interandean	Paramo	Temperate	Subtropical	Foothills	Humid Tropical
Cyclarhis gujanensis Rufous-browed Peppershrike Vireón Cejirrufo				C	U	sU	sU						sU	sU	
Cyclarhis nigrirostris Black-billed Peppershrike Vireón Piquinegro						R	nU						U	U	
Vireolanius leucotis Slaty-capped Shrike-Vireo Vireón Coroniplomizo					U	U								U	U
Vireo olivaceus Red-eyed Vireo Vireo Ojirrojo	mb r ma			U	C	U						sR		U U	C nR C
Vireo flavoviridis Yellow-green Vireo Vireo Verdiamarillo	mb														C
Vireo leucophrys Brown-capped Vireo Vireo Gorripardo					U	C	C						C	C	
Hylophilus semibrunneus Rufous-naped Greenlet Verdillo Nuquirrufo													nR	nR	
Hylophilus hypoxanthus Dusky-capped Greenlet Verdillo Ventriamarillo															C
Hylophilus decurtatus Lesser Greenlet Verdillo Menor				C	C	U									
Hylophilus olivaceus Olivaceous Greenlet Verdillo Oliváceo														U	
Hylophilus thoracicus Lemon-chested Greenlet Verdillo Pechilimón															R
Hylophilus ochraceiceps Tawny-crowned Greenlet Verdillo Coronileonado					nR									R	R

22 *TURDIDAE*
THRUSHES
MIRLOS, TORDOS

Especie		Occidente									Oriente				
		Océano	Costa	Tropical Arido	Tropical Húmedo	Estribación	Subtropical	Templado	Páramo	Interandino	Páramo	Temperado	Subtropical	Estribaciones	Tropical Húmedo
Myadestes ralloides Andean Solitaire Solitario Andino						U	C						C	U	
Cichlopsis leucogenys Rufous-brown Solitaire Solitario Rufimoreno						nR									
Entomodestes coracinus Black Solitaire Solitario Negro						nR	nR								
Catharus fuscater Slaty-backed Nightingale-Thrush Zorzal Sombrío						U	U						R		
Catharus dryas Spotted Nightingale-Thrush Zorzal Moteado					U	U	U						U	U	
Catharus minimus Gray-cheeked Thrush Zorzal Carigrís	mb									R				R	R
Catharus ustulatus Swainson's Thrush Zorzal de Swainson	mb				U	C	C			R			C	C	U
Platycichla leucops Pale-eyed Thrush Mirlo Ojipálido						R	nR						R	R	
Turdus chiguanco Chiguanco Thrush Mirlo Chiguanco										U					
Turdus fuscater Great Thrush Mirlo Grande							U	C		C		C	U		
Turdus serranus Glossy-black Thrush Mirlo Negribrilloso							U	U				U	U		
Turdus fulviventris Chestnut-bellied Thrush Mirlo Ventricastaño													U		

Species		West: Ocean	Coast	Arid Tropical	Humid Tropical	Foothills	Subtropical	Temperate	Paramo	Interandean	East: Paramo	Temperate	Subtropical	Foothills	Humid Tropical
Turdus ignobilis Black-billed Thrush Mirlo Piquinegro														U	C
Turdus reevei Plumbeous-backed Thrush Mirlo Dorsiplomizo				sU	sU	sU	sU								
Turdus maranonicus Marañón Thrush Mirlo del Marañón														mU	
Turdus lawrencii Lawrence's Thrush Mirlo Mímico															U
Turdus obsoletus Pale-vented Thrush Mirlo Ventripálido					R	R									
Turdus hauxwelli Hauxwell's Thrush Mirlo de Hauxwell															U
Turdus maculirostris Ecuadorian Thrush Mirlo Ecuatoriano				U	U	U	nU			nR					
Turdus albicollis White-necked Thrush Mirlo Cuelliblanco														U	U
Turdus daguae Dagua Thrush Mirlo Dagua					nR	nR									
Turdus nigriceps Andean Slaty-Thrush Mirlo-Pizarroso Andino	ma?					sU	sU						R		

2 ***MIMIDAE***
MOCKINGBIRDS
SINSONTES

Species		West: Ocean	Coast	Arid Tropical	Humid Tropical	Foothills	Subtropical	Temperate	Paramo	Interandean	East: Paramo	Temperate	Subtropical	Foothills	Humid Tropical
Mimus gilvus Tropical Mockingbird Sinsonte Tropical										nR					
Mimus longicaudatus Long-tailed Mockingbird Sinsonte Colilargo				sC		sU	sU			sU					

	Species	Status	Occidente									Oriente				
			Océano	Costa	Tropical Arido	Tropical Húmedo	Estribación	Subtropical	Templado	Páramo	Interandino	Páramo	Temperado	Subtropical	Estribaciones	Tropical Húmedo
1	***CINCLIDAE*** DIPPERS CINCLOS															
	Cinclus leucocephalus White-capped Dipper Cinclo Gorriblanco					R	U	U	U		R		U	U	U	
17	***HIRUNDINIDAE*** MARTINS AND SWALLOWS MARTINES Y GOLONDRINAS															
	Progne tapera Brown-chested Martin Martín Pechipardo				sU	sU										U
	[*Progne subis* Purple Martin Martín Purpúreo]	mb									R					R
	[*Progne elegans* Southern Martin Martín Sureño]	ma														R
	Progne chalybea Gray-breasted Martin Martín Pechigris				C	C	U	sU			nR				U	U
	Tachycineta albiventer White-winged Swallow Golondrina Aliblanca															C
	Tachycineta stolzmanni Túmbez Swallow Golondrina de Tumbes				sR											
	Tachycineta bicolor Tree Swallow Golondrina Bicolor	mb				nR										?
	Notiochelidon murina Brown-bellied Swallow Golondrina Ventricafé								U	C	C	C	U			
	Notiochelidon cyanoleuca Blue-and-white Swallow Golondrina Azul y Blanca	r ma			R	R	U	C	C		C		U	U	R	U
	Notiochelidon flavipes Pale-footed Swallow Golondrina Nuboselvática												R			

	Species	Status	West: Ocean	West: Coast	West: Arid Tropical	West: Humid Tropical	West: Foothills	West: Subtropical	West: Temperate	West: Paramo	Interandean	East: Paramo	East: Temperate	East: Subtropical	East: Foothills	East: Humid Tropical
	Atticora fasciata White-banded Swallow Golondrina Fajiblanca														U	C
	Neochelidon tibialis White-thighed Swallow Golondrina Musliblanca					nU	nU								U	R
	Stelgidopteryx ruficollis Southern Rough-winged Swallow Golondrina Alirrasposa Sureña					U	U	R						R	U	U
	Riparia riparia Sand Martin Martín Ribereño	mb			R	U					R					U
	Hirundo rustica Barn Swallow Golondrina Tijereta	mb			C	C	C	U	R		U		R	U	C	C
	Hirundo pyrrhonota Cliff Swallow Golondrina de Riscos	mb				R					R					R
	Hirundo rufocollaris Chestnut-collared Swallow Golondrina Ruficollareja					sU		sU	sU							
26	***TROGLODYTIDAE*** WRENS SOTERREYES															
	Donacobius atricapillus Black-capped Donacobius Donacobio														U	C
	Campylorhynchus zonatus Band-backed Wren Soterrey Dorsibandeado					nU										
	Campylorhynchus fasciatus Fasciated Wren Soterrey Ondeado				C		sU	sU								
	Campylorhynchus turdinus Thrush-like Wren Soterrey Mirlo														U	C
	Odontorchilus branickii Gray-mantled Wren Soterrey Dorsigrís						nR							U	U	

Species	Occidente									Oriente				
	Océano	Costa	Tropical Arido	Tropical Húmedo	Estribación	Subtropical	Templado	Páramo	Interandino	Páramo	Temperado	Subtropical	Estribaciones	Tropical Húmedo
Cinnycerthia unirufa Rufous Wren Soterrey Rufo						U	U				U	U		
Cinnycerthia olivascens Sepia-brown Wren Soterrey Caferrojizo						nU						U		
Cistothorus platensis Grass Wren Soterrey Sabanero								U	R	U	sR			
Thryothorus euophrys Plain-tailed Wren Soterrey Colillano						nU	nU				U	U		
Thryothorus mystacalis Whiskered Wren Soterrey Bigotillo				U	U									
Thryothorus coraya Coraya Wren Soterrey Coraya													U	U
Thryothorus sclateri Speckle-breasted Wren Soterrey Pechijaspeado			sU		sU	sU							mU	
Thryothorus nigricapillus Bay Wren Soterrey Cabecipinto				C	U									
Thryothorus leucopogon Stripe-throated Wren Soterrey Golirrayado				nR	nR									
Thryothorus leucotis Buff-breasted Wren Soterrey Pechianteado														U
Thryothorus superciliaris Superciliated Wren Soterrey Cejón			sU		sU	sU								
Troglodytes musculus Southern House-Wren Soterrey-Criollo Sureño			C	C	C	C	U		U		U	C	U	R
Troglodytes solstitialis Mountain Wren Soterrey Montañés					R	C	C				C	C		

	Species		West									East				
			Ocean	Coast	Arid Tropical	Humid Tropical	Foothills	Subtropical	Temperate	Paramo	Interandean	Paramo	Temperate	Subtropical	Foothills	Humid Tropical
	Henicorhina leucosticta White-breasted Wood-Wren Soterrey-Montés Pechiblanco					nU	nU								U	U
	Henicorhina leucophrys Gray-breasted Wood-Wren Soterrey-Montés Pechigrís						C	C	U				U	C	C	
	Henicorhina leucoptera Bar-winged Wood-Wren Soterrey-Montés Alibandeado													sU		
	Microcerculus marginatus Southern Nightingale-Wren Soterrey-Ruiseñor Sureño					U										C
	Microcerculus bambla Wing-banded Wren Soterrey Alifranjeado														U	R
	Cyphorhinus thoracicus Chestnut-breasted Wren Soterrey Pechicastaño													R	R	
	Cyphorhinus phaeocephalus Song Wren Soterrey Canoro					nU	R									
	Cyphorhinus aradus Musician Wren Soterrey Virtuoso														R	U
5	***POLIOPTILIDAE*** GNATCATCHERS PERLITAS															
	Microbates cinereiventris Tawny-faced Gnatwren Soterillo Carileonado					nU	U								U	U
	Microbates collaris Collared Gnatwren Soterillo Collarejo															nR
	Ramphocaenus melanurus Long-billed Gnatwren Soterillo Piquilargo					U	sU								U	U
	Polioptila plumbea Tropical Gnatcatcher Perlita Tropical				C	U	sU	sU								U

			Occidente								Oriente				
		Océano	Costa	Tropical Arido	Tropical Húmedo	Estribación	Subtropical	Templado	Páramo	Interandino	Páramo	Temperado	Subtropical	Estribaciones	Tropical Húmedo
	Polioptila schistaceigula Slate-throated Gnatcatcher Perlita Pechipizarrosa					nR									
1	***MOTACILLIDAE*** PIPITS BISBITAS														
	Anthus bogotensis Paramo Pipit Bisbita del Páramo								R	U		U	R		
31	***PARULIDAE*** NEW WORLD WARBLERS REINITAS														
	Mniotilta varia Black-and-white Warbler Reinita Blanquinegra	mb				R	R	R						R	R
	[*Vermivora chrysoptera* Golden-winged Warbler Reinita Alidorada]	mb					nR								nR
	Vermivora peregrina Tennessee Warbler Reinita Verdilla	mb						R			nR			R	
	Parula pitiayumi Tropical Parula Parula Tropical				C	C	C	U						C	C
	Dendroica aestiva Yellow Warbler Reinita Amarilla	mb				U									
	Dendroica erithachorides Mangrove Warbler Reinita Manglera			U											
	[*Dendroica pensylvanica* Chestnut-sided Warbler Reinita Flanquicastaña]	mb				nR									
	Dendroica cerulea Cerulean Warbler Reinita Cerúlea	mb					nR							U	U
	Dendroica virens Black-throated Green Warbler Reinita Cariamarilla	mb					n**R**								

	Species	Status	West: Ocean	West: Coast	West: Arid Tropical	West: Humid Tropical	West: Foothills	West: Subtropical	West: Temperate	West: Paramo	Interandean	East: Paramo	East: Temperate	East: Subtropical	East: Foothills	East: Humid Tropical
☐	*Dendroica fusca* Blackburnian Warbler Reinita Pechinaranja	mb					R	C	C		R		C	C	C	
☐	*Dendroica striata* Blackpoll Warbler Reinita Estriada	mb									nR				U	U
☐	*Dendroica castanea* Bay-breasted Warbler Reinita Pechicastaña	mb				nR								nR	nR	
☐	*Setophaga ruticilla* American Redstart Candelita Norteña	mb			R	U	U	U			nR				R	
☐	*Seiurus noveboracensis* Northern Waterthrush Reinita-Acuática Norteña	mb		nR		nR	nR								nR	R
☐	*Seiurus auricapillus* Ovenbird Reinita Hornera	mb				nR									R	
☐	*Protonotaria citrea* Prothonotary Warbler Reinita Protonotaria	mb		nR		nR	nR									nR
☐	*Geothlypis semiflava* Olive-crowned Yellowthroat Antifacito Coronioliva					U	U	R								
☐	*Geothlypis auricularis* Black-lored Yellowthroat Antifacito Lorinegro					sU	sU								mU	
☐	*Oporornis agilis* Connecticut Warbler Reinita Ojianillada	mb				nR										?
☐	*Oporornis philadelphia* Mourning Warbler Reinita Plañidera	mb												R	R	R
☐	*Wilsonia canadensis* Canada Warbler Reinita Collareja	mb				R	R	R						C	C	R
☐	*Myioborus miniatus* Slate-throated Whitestart Candelita Goliplomiza					U	C	C						C	C	

	Océano	Costa	Tropical Arido	Tropical Húmedo	Estribación	Subtropical	Templado	Páramo	Interandino	Páramo	Temperado	Subtropical	Estribaciones	Tropical Húmedo
	Occidente									Oriente				
Myioborus melanocephalus Spectacled Whitestart Candelita de Anteojos						C	C	U		U	C	C		
Basileuterus chlorophrys Chocó Warbler Reinita del Chocó					U									
Basileuterus tristriatus Three-striped Warbler Reinita Cabecilistada					C	C						C	C	
Basileuterus trifasciatus Three-banded Warbler Reinita Tribandeada					sU	sU	sR							
Basileuterus luteoviridis Citrine Warbler Reinita Citrina											U	R		
Basileuterus nigrocristatus Black-crested Warbler Reinita Crestinegra						C	C				C	C		
Basileuterus coronatus Russet-crowned Warbler Reinita Coronirrojiza						C	C				C	C		
Basileuterus fraseri Gray-and-gold Warbler Reinita Gris y Dorada			C	sC	sC	sC								
Basileuterus fulvicauda Buff-rumped Warbler Reinita Lomianteada				U	U								U	U

141 ***THRAUPIDAE***
TANAGERS AND HONEYCREEPERS
TANGARAS Y MIELEROS

	Océano	Costa	Tropical Arido	Tropical Húmedo	Estribación	Subtropical	Templado	Páramo	Interandino	Páramo	Temperado	Subtropical	Estribaciones	Tropical Húmedo
Coereba flaveola Bananaquit Mielero flavo			U	C	C	R						R	C	R
Chlorophonia cyanea Blue-naped Chlorophonia Clorofonia Nuquiazul												U	U	R
Chlorophonia flavirostris Yellow-collared Chlorophonia Clorofonia Cuellidorada					nU									

Species	Status	West: Ocean	West: Coast	West: Arid Tropical	West: Humid Tropical	West: Foothills	West: Subtropical	West: Temperate	West: Paramo	Interandean	East: Paramo	East: Temperate	East: Subtropical	East: Foothills	East: Humid Tropical
Chlorophonia pyrrhophrys Chestnut-breasted Chlorophonia Clorofonia Pechicastaña							nU	nU				U	U		
Euphonia cyanocephala Golden-rumped Euphonia Eufonia Lomidorada						R	U	R		U					
Euphonia xanthogaster Orange-bellied Euphonia Eufonia Ventrinaranja					C	C	C						C	C	C
Euphonia minuta White-vented Euphonia Eufonia Ventriblanca					nU	nR								R	U
Euphonia chlorotica Purple-throated Euphonia Eufonia Golipúrpura														mU	
Euphonia saturata Orange-crowned Euphonia Eufonia Coroninaranja				U	U	U									
Euphonia laniirostris Thick-billed Euphonia Eufonia Piquigruesa				C	C	U	sU							U	U
Euphonia fulvicrissa Fulvous-vented Euphonia Eufonia Ventrileonada					nR										
Euphonia rufiventris Rufous-bellied Euphonia Eufonia Ventrirrufa															C
Euphonia mesochrysa Bronze-green Euphonia Eufonia Verdibronceada													U	U	
Euphonia chrysopasta White-lored Euphonia Eufonia Loriblanca															C
Conirostrum speciosum Chestnut-vented Conebill Picocono Culicastaño														R	R
[*Conirostrum bicolor* Bicolored Conebill Picocono Bicolor]	v?														nR

Species		Occidente									Oriente				
		Océano	Costa	Tropical Arido	Tropical Húmedo	Estribación	Subtropical	Templado	Páramo	Interandino	Páramo	Temperado	Subtropical	Estribaciones	Tropical Húmedo
Conirostrum cinereum Cinereous Conebill Picocono Cinéreo								C	U	C	U	C			
Conirostrum sitticolor Blue-backed Conebill Picocono Dorsiazul								C				C			
Conirostrum albifrons Capped Conebill Picocono Coronado							nU	nU				U	U		
Oreomanes fraseri Giant Conebill Picocono Gigante								nR	nR		R	R			
Xenodacnis parina Tit-like Dacnis Xenodacnis									sR						
Diglossa caerulescens Bluish Flower-piercer Pinchaflor Azulado							nR	nR				U	U		
Diglossa cyanea Masked Flower-piercer Pinchaflor Enmascarado							C	C	R	R	R	C	U		
Diglossa glauca Golden-eyed Flower-piercer Pinchaflor Ojidorado													U	U	
Diglossa indigotica Indigo Flower-piercer Pinchaflor Indigo						?	R								
Diglossa lafresnayii Glossy Flower-piercer Pinchaflor Satinado								U	U		U	U			
Diglossa humeralis Black Flower-piercer Pinchaflor Negro								C	U	U	U	C			
Diglossa albilatera White-sided Flower-piercer Pinchaflor Flanquiblanco							C	U				U	C		
Diglossa sittoides Rusty Flower-piercer Pinchaflor Pechicanelo								R		U		R			

			West									East				
			Ocean	Coast	Arid Tropical	Humid Tropical	Foothills	Subtropical	Temperate	Paramo	Interandean	Paramo	Temperate	Subtropical	Foothills	Humid Tropical
	Cyanerpes nitidus Short-billed Honeycreeper Mielero Piquicorto															R
	Cyanerpes caeruleus Purple Honeycreeper Mielero Purpúreo					C	U								U	C
	Cyanerpes cyaneus Red-legged Honeycreeper Mielero Patirrojo				nR	nU										R
	Chlorophanes spiza Green Honeycreeper Mielero Verde					C	C								C	C
	Iridophanes pulcherrima Golden-collared Honeycreeper Mielero Collarejo						nR							U	U	
	Dacnis cayana Blue Dacnis Dacnis Azul					C	R								U	C
	Dacnis lineata Black-faced Dacnis Dacnis Carinegro														U	C
	Dacnis egregia Yellow-tufted Dacnis Dacnis Pechiamarillo					U	U									
	Dacnis flaviventer Yellow-bellied Dacnis Dacnis Ventriamarillo															U
	Dacnis venusta Scarlet-thighed Dacnis Dacnis Musliescarlata					nR	nR									
	Dacnis berlepschi Scarlet-breasted Dacnis Dacnis Pechiescarlata					nR										
	Dacnis albiventris White-bellied Dacnis Dacnis Ventriblanco															R
	Pipraeidea melanonota Fawn-breasted Tanager Tangara Pechianteada					sU	U	U	U		R		U	U	U	

Especie		Occidente									Oriente				
		Océano	Costa	Tropical Arido	Tropical Húmedo	Estribación	Subtropical	Templado	Páramo	Interandino	Páramo	Temperado	Subtropical	Estribaciones	Tropical Húmedo
Chlorochrysa calliparaea Orange-eared Tanager Tangara Orejinaranja													C	C	
Chlorochrysa phoenicotis Glistening-green Tanager Tangara Verde Reluciente						U	nU								
Tangara velia Opal-rumped Tanager Tangara Lomi-opalina														R	U
Tangara callophrys Opal-crowned Tanager Tangara Ceji-opalina															U
Tangara chilensis Paradise Tanager Tangara Paraíso													U	C	C
Tangara schrankii Green-and-gold Tanager Tangara Verdidorada													U	C	C
Tangara johannae Blue-whiskered Tanager Tangara Bigotiazul					nR										
Tangara punctata Spotted Tanager Tangara Punteada													C	C	
Tangara xanthogastra Yellow-bellied Tanager Tangara Ventriamarilla														U	U
Tangara rufigula Rufous-throated Tanager Tangara Golirrufa						U									
Tangara arthus Golden Tanager Tangara Dorada					sU	C	C						C	C	
Tangara florida Emerald Tanager Tangara Esmeralda					nR	nR									
Tangara icterocephala Silvery-throated Tanager Tangara Goliplata					U	U									

Species	West: Ocean	West: Coast	West: Arid Tropical	West: Humid Tropical	West: Foothills	West: Subtropical	West: Temperate	West: Paramo	West: Interandean	East: Paramo	East: Temperate	East: Subtropical	East: Foothills	East: Humid Tropical
Tangara xanthocephala Saffron-crowned Tanager Tangara Coroniazafrán						nR						U	R	
Tangara chrysotis Golden-eared Tanager Tangara Orejidorada												U	U	
Tangara parzudakii Flame-faced Tanager Tangara Cariflama					U	U						U		
Tangara cyanotis Blue-browed Tanager Tangara Cejiazul												U	U	
Tangara labradorides Metallic-green Tanager Tangara Verdimetálica					nU	nU						sR	sR	
Tangara cyanicollis Blue-necked Tanager Tangara Capuchiazul				U	C	U						U	U	R
Tangara nigrocincta Masked Tanager Tangara Enmascarada													U	U
Tangara larvata Golden-hooded Tanager Tangara Capuchidorada				nU										
Tangara rufivertex Golden-naped Tanager Tangara Nuquidorada					sR	U						U		
Tangara mexicana Turquoise Tanager Tangara Turquesa													U	C
Tangara palmeri Gray-and-gold Tanager Tangara Doradigris				nR	nU									
Tangara gyrola Bay-headed Tanager Tangara Cabecibaya				U	U							U	U	U
Tangara lavinia Rufous-winged Tanager Tangara Alirrufa				nR										

Especie		Occidente: Océano	Occidente: Costa	Occidente: Tropical Arido	Occidente: Tropical Húmedo	Occidente: Estribación	Occidente: Subtropical	Occidente: Templado	Occidente: Páramo	Interandino	Oriente: Páramo	Oriente: Temperado	Oriente: Subtropical	Oriente: Estribaciones	Oriente: Tropical Húmedo
Tangara vitriolina Scrub Tanager Tangara Matorralera							nR	nR		nU					
Tangara nigroviridis Beryl-spangled Tanager Tangara Lentejuelada						U	C						C		
Tangara vassorii Blue-and-black Tanager Tangara Azulinegra							U	U				U	U		
Tangara heinei Black-capped Tanager Tangara Gorrinegra							nU						nU	nU	
Tangara viridicollis Silver-backed Tanager Tangara Dorsiplateada						sU	sU						sR		
Tangara argyrofenges Straw-backed Tanager Tangara Dorsipajiza													sR		
Iridosornis porphyrocephala Purplish-mantled Tanager Tangara Dorsipurpurina							nR						s?		
Iridosornis analis Yellow-throated Tanager Tangara Goliamarilla													U		
Iridosornis rufivertex Golden-crowned Tanager Tangara Coronidorada								nU				U	sU		
Anisognathus igniventris Scarlet-bellied Mountain-Tanager Tangara-Montana Ventriescarlata								C		U		C			
Anisognathus lacrymosus Lacrimose Mountain-Tanager Tangara-Montana Lagrimosa							sU	sU				C	C		
Anisognathus somptuosus Blue-winged Mountain-Tanager Tangara-Montana Aliazul						C	C						C	C	
Anisognathus notabilis Black-chinned Mountain-Tanager Tangara-Montana Barbinegra						U	U								

Species	West									East				
	Ocean	Coast	Arid Tropical	Humid Tropical	Foothills	Subtropical	Temperate	Paramo	Interandean	Paramo	Temperate	Subtropical	Foothills	Humid Tropical
Buthraupis montana Hooded Mountain-Tanager Tangara-Montana Encapuchada						nU	nU				U	U		
Buthraupis wetmorei Masked Mountain-Tanager Tangara-Montana Enmascarada											R			
Buthraupis eximia Black-chested Mountain-Tanager Tangara-Montana Pechinegra						nR					R			
Bangsia rothschildi Golden-chested Tanager Tangara Pechidorada				nR										
Bangsia edwardsi Moss-backed Tanager Tangara Dorsimusgosa					nU									
Wetmorethraupis sterrhopteron Orange-throated Tanager Tangara Golinaranja													sR	
Dubusia taeniata Buff-breasted Mountain-Tanager Tangara-Montana Pechianteada							U				U			
Tersina viridis Swallow Tanager Tersina				U	U								U	U
Thraupis episcopus Blue-gray Tanager Tangara Azuleja			C	C	U	U			R				U	U
Thraupis palmarum Palm Tanager Tangara Palmera				C	U								U	C
Thraupis cyanocephala Blue-capped Tanager Tangara Gorriazul						U	U				U	U		
Thraupis bonariensis Blue-and-yellow Tanager Tangara Azuliamarilla									U					
Ramphocelus carbo Silver-beaked Tanager Tangara Concha de Vino													U	C

Especie		Occidente: Océano	Occidente: Costa	Occidente: Tropical Arido	Occidente: Tropical Húmedo	Occidente: Estribación	Occidente: Subtropical	Occidente: Templado	Occidente: Páramo	Interandino	Oriente: Páramo	Oriente: Temperado	Oriente: Subtropical	Oriente: Estribaciones	Oriente: Tropical Húmedo
Ramphocelus nigrogularis Masked Crimson Tanager Tangara Enmascarada															C
Ramphocelus icteronotus Yellow-rumped Tanager Tangara Lomiamarilla					C	U	U								
Calochaetes coccineus Vermilion Tanager Tangara Bermellón													U	U	
Piranga flava Hepatic Tanager Piranga Bermeja				U	sU	sU	sU							sR	
Piranga rubra Summer Tanager Piranga Roja	mb				U	U	U			R			U	U	U
Piranga olivacea Scarlet Tanager Piranga Escarlata	mb				U	R	R						U	U	C
Piranga leucoptera White-winged Tanager Piranga Aliblanca						U	U						U	U	
Piranga rubriceps Red-hooded Tanager Piranga Capuchirroja							nR	nR				R	R		
Chlorothraupis olivacea Lemon-spectacled Tanager Tangara Ojeralimón					nR										
Chlorothraupis frenata Olive Tanager Tangara Oliva														R	
Chlorothraupis stolzmanni Ochre-breasted Tanager Tangara Pechiocrácea						U									
Habia rubica Red-crowned Ant-Tanager Tangara-Hormiguera Coronirroja															U
Lanio fulvus Fulvous Shrike-Tanager Tangara Fulva													R	R	U

Species	West									East				
	Ocean	Coast	Arid Tropical	Humid Tropical	Foothills	Subtropical	Temperate	Paramo	Interandean	Paramo	Temperate	Subtropical	Foothills	Humid Tropical
Tachyphonus rufus White-lined Tanager Tangara Filiblanca				nU	nU							R	R	
Tachyphonus cristatus Flame-crested Tanager Tangara Crestiflama														U
Tachyphonus surinamus Fulvous-crested Tanager Tangara Crestifulva													U	U
Tachyphonus luctuosus White-shouldered Tanager Tangara Hombriblanca				C	U									R
Tachyphonus delatrii Tawny-crested Tanager Tangara Crestinaranja				nU	nU									
Heterospingus xanthopygius Scarlet-browed Tanager Tangara Cejiescarlata				nR	nR									
Creurgops verticalis Rufous-crested Tanager Tangara Crestirrufa						nR						U		
Eucometis penicillata Gray-headed Tanager Tangara Cabecigris														nU
Mitrospingus cassinii Dusky-faced Tanager Tangara Carinegruzca				U	U									
Hemithraupis guira Guira Tanager Tangara Guira				U	U								U	U
Hemithraupis flavicollis Yellow-backed Tanager Tangara Lomiamarilla													U	U
Chrysothlypis salmoni Scarlet-and-white Tanager Tangara Escarlatiblanca				nU	nU									
Thlypopsis sordida Orange-headed Tanager Tangara Cabecinaranja														U

Especie		Océano	Costa	Tropical Arido	Tropical Húmedo	Estribación	Subtropical	Templado	Páramo	Interandino	Páramo	Temperado	Subtropical	Estribaciones	Tropical Húmedo
		Occidente									Oriente				
Thlypopsis ornata Rufous-chested Tanager Tangara Pechicanela							U	U		R		U	U		
Thlypopsis inornata Buff-bellied Tanager Tangara Ventrianteada														mU	
Sericossypha albocristata White-capped Tanager Tangara Caretiblanca												R	R		
Chlorospingus ophthalmicus Common Bush-Tanager Clorospingo Común						sU							U		
Chlorospingus canigularis Ashy-throated Bush-Tanager Clorospingo Golicenizo						U							U	U	
Chlorospingus flavovirens Yellow-green Bush-Tanager Clorospingo Verdiamarillo						nR									
Chlorospingus flavigularis Yellow-throated Bush-Tanager Clorospingo Goliamarillo					sU	C	C						C	C	
Chlorospingus parvirostris Yellow-whiskered Bush-Tanager Clorospingo Bigotudo													U		
Chlorospingus semifuscus Dusky Bush-Tanager Clorospingo Oscuro						U	nU								
Cnemoscopus rubrirostris Gray-hooded Bush-Tanager Tangara-Montés Capuchigris								nR				U	U		
Urothraupis stolzmanni Black-backed Bush-Tanager Quinuero Dorsinegro											U	U			
Hemispingus atropileus Black-capped Hemispingus Hemispingo Coroninegro								nU				U			
Hemispingus superciliaris Superciliaried Hemispingus Hemispingo Superciliado								U				U			

	Species		West: Ocean	West: Coast	West: Arid Tropical	West: Humid Tropical	West: Foothills	West: Subtropical	West: Temperate	West: Paramo	Interandean	East: Paramo	East: Temperate	East: Subtropical	East: Foothills	East: Humid Tropical
☐	*Hemispingus frontalis* Oleaginous Hemispingus Hemispingo Oleaginoso							nR						U		
☐	*Hemispingus melanotis* Black-eared Hemispingus Hemispingo Orejinegro							R	R				U	U		
☐	*Hemispingus verticalis* Black-headed Hemispingus Hemispingo Cabecinegro												U			
☐	*Conothraupis speculigera* Black-and-white Tanager Tangara Negra y Blanca	mi			sU	sR	sU	sU								sR
☐	*Chlorornis riefferii* Grass-green Tanager Tangara Carirroja							nU	nU				U	U		
☐	*Cissopis leveriana* Magpie Tanager Tangara Urraca													U	C	C
☐	*Schistochlamys melanopis* Black-faced Tanager Tangara Carinegra														mU	
☐	*Catamblyrhynchus diadema* Plushcap Gorradiadema							U	U				U	U		

15	***CARDINALIDAE*** SALTATORS AND GROSBEAKS SALTADORES Y PICOGRUESOS

	Species		West: Ocean	West: Coast	West: Arid Tropical	West: Humid Tropical	West: Foothills	West: Subtropical	West: Temperate	West: Paramo	Interandean	East: Paramo	East: Temperate	East: Subtropical	East: Foothills	East: Humid Tropical
☐	*Saltator maximus* Buff-throated Saltator Saltador Golianteado					C	C								C	C
☐	*Saltator atripennis* Black-winged Saltator Saltador Alinegro					U	U	R								
☐	*Saltator coerulescens* Grayish Saltator Saltador Grisáceo													U	U	C
☐	*Saltator nigriceps* Black-cowled Saltador Saltador Capuchinegro							sU	sU		sU					

Species	Status	Occidente									Oriente				
		Océano	Costa	Tropical Arido	Tropical Húmedo	Estribación	Subtropical	Templado	Páramo	Interandino	Páramo	Temperado	Subtropical	Estribaciones	Tropical Húmedo
Saltator striatipectus Streaked Saltator Saltador Listado				C		sC	sC			U				mC	
Saltator cinctus Masked Saltator Saltador Enmascarado												R	R		
Saltator grossus Slate-colored Grosbeak Picogrueso Piquirrojo					U	U	R						R	U	U
Caryothraustes humeralis Yellow-shouldered Grosbeak Picogrueso Hombriamarillo															R
Paroaria gularis Red-capped Cardinal Cardenal Gorrirrojo															C
Pheucticus chrysogaster Southern Yellow-Grosbeak Picogrueso Amarillo Sureño				U	R	R	R	U		C					
Pheucticus aureoventris Black-backed Grosbeak Picogrueso Dorsinegro										U					
Pheucticus ludovicianus Rose-breasted Grosbeak Picogrueso Pechirrosa	mb			R	R	U	U	U		R		U	U	R	R
Cyanocompsa cyanoides Blue-black Grosbeak Picogrueso Negriazulado					U	U								U	U
Guiraca caerulea Blue Grosbeak Picogrueso Azul	mb														nR
[*Spiza americana* Dickcissel Llanero]	mb														R
53 ***EMBERIZIDAE*** EMBERIZINE FINCHES SEMILLEROS, ESPIGUEROS															
Rhodospingus cruentus Crimson-breasted Finch Pinzón Pechicarmesí				C	sC	sC									

	Species		West: Ocean	West: Coast	West: Arid Tropical	West: Humid Tropical	West: Foothills	West: Subtropical	West: Temperate	West: Paramo	Interandean	East: Paramo	East: Temperate	East: Subtropical	East: Foothills	East: Humid Tropical
☐	*Volatinia jacarina* Blue-black Grassquit Semillerito Negriazulado				C	C	C				sU				U	U
☐	*Tiaris olivacea* Yellow-faced Grassquit Semillerito Cariamarillo						nU	nU								R
☐	*Tiaris obscura* Dull-colored Grassquit Semillerito Oscuro					U	U	U							mU	
☐	*Sporophila schistacea* Slate-colored Seedeater Espiguero Pizarroso						nR									nR
☐	*Sporophila aurita* Variable Seedeater Espiguero Variable				U	C	U									
☐	*Sporophila americana* Wing-barred Seedeater Espiguero Alibandeado															U
☐	*Sporophila lineola* Lined Seedeater Espiguero Lineado	ma														R
☐	*Sporophila bouvronides* Lesson's Seedeater Espiguero de Lesson	mi														R
☐	*Sporophila luctuosa* Black-and-white Seedeater Espiguero Negriblanco							U	U		U		U	U	U	U
☐	*Sporophila nigricollis* Yellow-bellied Seedeater Espiguero Ventriamarillo					C	C	U			U			U	C	R
☐	*Sporophila peruviana* Parrot-billed Seedeater Espiguero Pico de Loro					sC	sR									
☐	*Sporophila simplex* Drab Seedeater Espiguero Simple										sU					
☐	*Sporophila minuta* Ruddy-breasted Seedeater Espiguero Pechirrojizo					nR	nR									

Species		Occidente: Océano	Costa	Tropical Arido	Tropical Húmedo	Estribación	Subtropical	Templado	Páramo	Interandino	Oriente: Páramo	Temperado	Subtropical	Estribaciones	Tropical Húmedo
Sporophila castaneiventris Chestnut-bellied Seedeater Espiguero Ventricastaño														C	C
Sporophila telasco Chestnut-throated Seedeater Espiguero Gorjicastaño				U	C					sR					
Oryzoborus crassirostris Large-billed Seed-Finch Semillero Piquigrande					R	R									R
Oryzoborus atrirostris Black-billed Seed-Finch Semillero Piquinegro															R
Oryzoborus angolensis Lesser Seed-Finch Semillero Menor					U	U								U	U
Amaurospiza concolor Blue Seedeater Semillero Azul						R	R								
Catamenia analis Band-tailed Seedeater Semillero Colifajeado								U		U					
Catamenia inornata Plain-colored Seedeater Semillero Sencillo								C	C	U	C	C			
Catamenia homochroa Paramo Seedeater Semillero Paramero								R				R			
Sicalis taczanowskii Sulphur-throated Finch Pinzón-Sabanero Golisulfureo				sR											
Sicalis flaveola Saffron Finch Pinzón-Sabanero Azafranado				sU	sU	sU	sU			sC					
Sicalis luteola Grassland Yellow-Finch Pinzón-Sabanero Común										U					
[*Piezorhina cinerea* Cinereous Finch Pinzón Cinéreo]	v?			sR											

Species		West									East				
		Ocean	Coast	Arid Tropical	Humid Tropical	Foothills	Subtropical	Temperate	Paramo	Interandean	Paramo	Temperate	Subtropical	Foothills	Humid Tropical
Phrygilus unicolor Plumbeous Sierra-Finch Frigilo Plomizo									C		C				
Phrygilus plebejus Ash-breasted Sierra-Finch Frigilo Pechicenizo				sU						C					
Phrygilus alaudinus Band-tailed Sierra-Finch Frigilo Colifajeado				sR						U					
Haplospiza rustica Slaty Finch Pinzón Pizarroso							R	R				R	R		
Coryphospingus cucullatus Red Pileated-Finch Brasita-de-Fuego Rojo														mU	
Atlapetes pallidinucha Pale-naped Brush-Finch Matorralero Nuquipálido											U	U			
Atlapetes rufinucha Rufous-naped Brush-Finch Matorralero Nuquirrufo							C	C		C		C	C		
Atlapetes tricolor Tricolored Brush-Finch Matorralero Tricolor						U	U								
Atlapetes leucopterus White-winged Brush-Finch Matorralero Aliblanco						sU	U	U		U					
Atlapetes schistaceus Slaty Brush-Finch Matorralero Pizarroso												nU			
Atlapetes seebohmi Bay-crowned Brush-Finch Matorralero Coronibayo						sR	sR			sR					
Atlapetes albiceps White-headed Brush-Finch Matorralero Cabeciblanco				sU		sU									
Atlapetes pallidiceps Pale-headed Brush-Finch Matorralero Cabecipálido										sX?					

		Occidente								Oriente				
Especie	Océano	Costa	Tropical Arido	Tropical Húmedo	Estribación	Subtropical	Templado	Páramo	Interandino	Páramo	Temperado	Subtropical	Estribaciones	Tropical Húmedo
Atlapetes leucopis White-rimmed Brush-Finch Matorralero de Anteojos							nR				R			
Buarremon brunneinucha Chestnut-crowned Brush-Finch Matorralero Gorricastaño					U	U						U	U	
Buarremon torquatus Stripe-headed Brush-Finch Matorralero Cabecilistado			sR	sR	sU	U	U				U			
Oreothraupis arremonops Tanager Finch Pinzón Tangara						nR								
Lysurus castaneiceps Olive Finch Pinzón Oliváceo					nR	nR						R	R	
Arremon aurantiirostris Orange-billed Sparrow Saltón Piquinaranja				U	R								R	U
Arremon abeillei Black-capped Sparrow Saltón Gorrinegro			sU	sU	sU	sU							mU	
Arremonops conirostris Black-striped Sparrow Saltón Negrilistado				U	U									
Ammodramus aurifrons Yellow-browed Sparrow Sabanero Cejiamarillo												R	C	C
Ammodramus savannarum Grasshopper Sparrow Sabanero Saltamontes									nX?					
Aimophila stolzmanni Túmbez Sparrow Sabanero de Tumbes									sU					
Zonotrichia capensis Rufous-collared Sparrow Chingolo					R	U	C		C		C	U	R	
Poospiza hispaniolensis Collared Warbling-Finch Pinzón-Gorgeador Collarejo		sU	sU											

30 *ICTERIDAE*

AMERICAN ORIOLES AND BLACKBIRDS
OROPENDOLAS Y VAQUEROS

Species	West									East				
	Ocean	Coast	Arid Tropical	Humid Tropical	Foothills	Subtropical	Temperate	Paramo	Interandean	Paramo	Temperate	Subtropical	Foothills	Humid Tropical
Molothrus bonariensis Shiny Cowbird Vaquero Brilloso			C	C	C				R				U	U
Scaphidura oryzivora Giant Cowbird Vaquero Gigante				U	U	R						R	U	C
[*Ocyalus latirostris* Band-tailed Oropendola Oropéndola Colifajeada]														nR
Psarocolius wagleri Chestnut-headed Oropendola Oropéndola Cabecicastaña				R	sR									
Psarocolius oseryi Casqued Oropendola Oropéndola de Casco														U
Psarocolius decumanus Crested Oropendola Oropéndola Crestada													U	C
Psarocolius viridis Green Oropendola Oropéndola Verde														U
Psarocolius angustifrons Russet-backed Oropendola Oropéndola Dorsirrojiza					U	U						U	C	C
Psarocolius bifaciatus Olive Oropendola Oropéndola Oliva														R
Cacicus cela Yellow-rumped Cacique Cacique Lomiamarillo			C	U									C	C
Cacicus haemorrhous Red-rumped Cacique Cacique Lomirrojo														R
Cacicus uropygialis Subtropical Cacique Cacique Subtropical												U	U	

Especie		Occidente									Oriente				
		Océano	Costa	Tropical Arido	Tropical Húmedo	Estribación	Subtropical	Templado	Páramo	Interandino	Páramo	Temperado	Subtropical	Estribaciones	Tropical Húmedo
Cacicus microrhynchus Scarlet-rumped Cacique Cacique Lomiescarlata					U	U									
Cacicus leucoramphus Northen Mountain-Cacique Cacique-Montano Norteño												U	U		
Cacicus sclateri Ecuadorian Cacique Cacique Ecuatoriano															R
Cacicus solitarius Solitary Cacique Cacique Solitario															U
Amblycercus holosericeus Yellow-billed Cacique Cacique Piquiamarillo				U	U	sU	sU					U	U		
Dives warszewiczi Scrub Blackbird Negro Matorralero				U	C	U	U								
Quiscalus mexicanus Great-tailed Grackle Clarinero Coligrande			U												
Lampropsar tanagrinus Velvet-fronted Grackle Clarinero Frentiafelpado															R
Agelaius xanthophthalmus Pale-eyed Blackbird Negro Ojipálido															nR
Icterus chrysocephalus Moriche Oriole Bolsero de Morete															U
Icterus croconotus Orange-backed Troupial Turpial Dorsinaranja															U
Icterus galbula Baltimore Oriole Bolsero de Baltimore	mb				nR										nR
Icterus graceannae White-edged Oriole Bolsero Filiblanco				U		sU	sU								

	Species	Status	West: Ocean	West: Coast	West: Arid Tropical	West: Humid Tropical	West: Foothills	West: Subtropical	West: Temperate	West: Paramo	Interandean	East: Paramo	East: Temperate	East: Subtropical	East: Foothills	East: Humid Tropical
☐	*Icterus mesomelas* Yellow-tailed Oriole Bolsero Coliamarillo				U	U	sU	sU			sU					
☐	*Gymnomystax mexicanus* Oriole Blackbird Negro Bolsero															U
☐	*Sturnella militaris* Red-breasted Blackbird Pastorero Pechirrojo															U
☐	*Sturnella bellicosa* Peruvian Meadowlark Pastorero Peruano				C	sC	sU	sU		U	sU					
☐	*Dolichonyx oryzivorus* Bobolink Tordo Arrocero	mb			R											U
6	***FRINGILLIDAE*** CARDUELINE FINCHES JILGUEROS															
☐	*Carduelis magellanica* Hooded Siskin Jilguero Encapuchado							U	U		C				sR	
☐	*Carduelis siemiradzkii* Saffron Siskin Jilguero Azafranado				sU											
☐	*Carduelis olivacea* Olivaceous Siskin Jilguero Oliváceo													U	U	
☐	*Carduelis xanthrogastra* Yellow-bellied Siskin Jilguero Ventriamarillo					sU	U	U								
☐	*Carduelis spinescens* Andean Siskin Jilguero Andino								nR	nU			nU			
☐	*Carduelis psaltria* Lesser Goldfinch Jilguero Menor						R	R						R		

		Occidente									Oriente				
		Océano	Costa	Tropical Arido	Tropical Húmedo	Estribación	Subtropical	Templado	Páramo	Interandino	Páramo	Temperado	Subtropical	Estribaciones	Tropical Húmedo
1 **_PASSERIDAE_** OLD WORLD SPARROWS GORRIONES DEL VIEJO MUNDO															
Passer domesticus House Sparrow Gorrión Europeo				U	U					U				U	

BIBLIOGRAFÍA DE REFERENCIA
REFERENCE BIBLIOGRAPHY

BUTLER, T.Y. 1979. The birds of Ecuador and the Galapagos Archipielago. Lincoln Press, Inc. Sanford, Maine 68 pp.

HILTY, S.L. & W.L. BROWN. 1986. A guide to the birds of Colombia. Princeton University Press, New Jersey, 866 pp.

ORTIZ-CRESPO, F., P.J. GREENFIELD & J.C. MATHEUS. 1990. Aves del Ecuador, Continente y Archipiélago de Galápagos. FEPROTUR y CECIA. Quito, 144 pp.

RIDGELY, R.S. & G. TUDOR. 1989. The Birds of South America. Vol. I. University of Texas Press, Austin, 516 pp.

RIDGELY, R.S. & G. TUDOR. 1994. The Birds of South America. Vol. II. University of Texas Press, Austin, 814 pp.

RIDGELY, R.S. & J.A. GWYNNE JR. 1993. Guía de las Aves de Panamá, incluyendo Costa Rica, Nicaragua y Honduras. ANCON / Universidad de Princeton, Carvajal S.A., Colombia, 614 pp.

RIDGELY, R.S., P.J. GREENFIELD (*en prep.*). The Birds of Ecuador. Cornell University Press.

Dr. Robert S. Ridgely, de la Academia de Ciencias Naturales de Filadelfia (USA) ha llevado a cabo investigaciones sobre la avifauna de Ecuador por más de veinte años, la mayor parte del tiempo en colaboración con el Museo Ecuatoriano de Ciencias Naturales de Quito. Desde 1980 inició un esfuerzo conjunto con el artista Paul Greenfield con el objetivo de producir una importante obra de referencia que se titulará Las Aves de Ecuador, un esfuerzo que finalmente está próximo a su culminación. Al mismo tiempo, ha estado trabajando con el artista Guy Tudor y otros en la producción de una serie de cuatro volúmenes denominada Las Aves de Sudamérica, dos de los cuatro muy esperados volúmenes ya han sido publicados. Cuando no se encuentra en los neotrópicos en pos de algún grial ornitológico, Robert vive en Filadelfia con su esposa Peg, una renombrada escultora de vida silvestre.

Paul J. Greenfield es un artista y naturalista radicado en Ecuador desde 1972. A lo largo de estos años se ha dedicado a estudiar y pintar las aves de Ecuador y al mismo tiempo, ha diseñado e ilustrado 5 grupos de paneles para el Museo Ecológico de Mundo Juvenil en Quito. Además se ha involucrado en varios aspectos de ecoturismo, conservación y análisis de impactos ambientales. Las casi dos décadas de trabajo que ha dedicado a la producción del libro Aves del Ecuador, próximo a publicarse, han brindado a Paul un profundo conocimiento de las aves de Ecuador, así como de los lugares más remotos de este maravilloso país. Paul vive en Quito con su esposa Martha, y su hijo Ilán.

Mauricio Guerrero-G., biólogo ecuatoriano, está vinculado a la Fundación Ornitológica del Ecuador – CECIA – desde que concluyó sus estudios universitarios. En CECIA desarrolló estudios sobre el Aguila Arpía (*Harpia harpyja*) y el Cóndor Andino (*Vultur gryphus*). Posteriormente trabajó como Asistente Técnico de la Oficina Regional de BirdLife International. Luego trabajó para el Centro para la Biología de la Conservación (Universidad de Stanford), primero como ornitólogo y posteriormente como Coordinador en Ecuador del Programa de Investigación Tropical. Su interés por las aves le ha motivado a participar en el desarrollo de la lista de aves de Ecuador y a organizar cursos de ornitología no sólo en Ecuador, sino también en Perú. Actualmente trabaja como Asesor Técnico de la Fundación Ecológica Mazán.

Dr. Robert S. Ridgely, of the Academy of Natural Sciences in Philadelphia (USA) has been conducting research on the Ecuadorian avifauna for over twenty years, much of that time in collaboration with the Museo de Ciencias Naturales in Quito. Since 1980 he has been teamed up with artist Paul Greenfield with their goal being the production of a major reference to be entitled The Birds of Ecuador, an effort that is now - finally! - approaching completion. At the same time he has also been working with artist Guy Tudor and others on the multi-volume series entitled The Birds of South America, on which two of an anticipated four volumes have already been published. When not in the Neotropics pursuing some ornithological grail, he lives in Philadelphia with his wife Peg, a noted wildlife sculptor.

Paul J. Greenfield is an artist and naturalist who has been living in Ecuador since 1972. Over the years, he has been dedicated to studying and painting the birds of Ecuador and at the same time, he has designed and painted five museum group displays at Mundo Juvenil Ecological Museum in Quito and has been involved in various aspects of ecotourism, conservation efforts, and environmental impact analysis. Nearly two decades of work on the forth-coming The Birds of Ecuador has given Paul an in-depth knowledge of Ecuador's bird-life, as well as a look at the most remote corners of this marvelous country. He lives in Quito with his wife Martha, and his son Ilán.

Mauricio Guerrero-G., is an Ecuadorian biologist, who has been active in the Ornithological Foundation of Ecuador - CECIA since he finished his university studies. In CECIA he has done research on research on Harpy Eagles and Andean Condors. Later, he worked as Technical Assistant for the BirdLife International Regional Office and then for the Center for Conservation Biology at Stanford University, primarily as an ornithologist and then as Coordinator for their Tropical Research Program in Ecuador. His interest in birds has motivated him to develop this checklist and to organize ornithological training courses in Ecuador and Peru. Presently, he is working as Technical Advisor for the Mazan Ecological Foundation.